J'ai déplacé l'éléphant

Patrick Sébastien

J'ai déplacé l'éléphant

ISBN : 978-2-37448-270-5

C'était un soir de blues après mon éviction sauvage de la télévision. Une conversation de nuit douce avec deux jeunes échappés d'une fête de mariage. À l'air libre pour fumer loin des alarmes incendie. Une des mille nouvelles contraintes de la dictature sanitaire. On vivra plus vieux, c'est sûr ! Plus heureux, c'est moins sûr. J'argumentais en vieux con à grands coups de « c'était mieux avant ». Le tout accompagné d'un spleen qui oscillait entre le découragement et, quand même, la satisfaction du devoir accompli. Alors la jeune fille m'a offert une phrase inoubliable. Un proverbe indien :

– *Si tu vois tout en gris, déplace l'éléphant !*

J'ai applaudi. Double déclic. D'abord l'évidence qu'il fallait bousculer le pachyderme. Virer la grisaille qui encrassait mes enthousiasmes. Et ensuite m'est venue l'idée d'écrire ce livre. D'y étaler des phrases inoubliables, comme celle qu'elle venait de me faire découvrir.

Alors voilà ! Je vais t'offrir des phrases inoubliables. Des répliques de la vie courante que j'ai entendues ou qu'on m'a rapportées. Inédites. Des fulgurances à rendre jaloux tous les dialoguistes du monde. J'en ai d'ailleurs recyclé certaines dans des sketches, des livres, des scénarios. Leur brièveté en dit souvent bien plus long qu'un discours ou qu'un traité philosophique. Elles sont le reflet de ce que l'âme humaine a de futile ou de grave. L'humour, la mort, la vie, la dérision, la maladie, l'espoir, le dépit, l'amour. Un miroir de nous.

La vie m'a baladé des recoins les plus sombres aux palais les plus lumineux. En moissonneur, j'y ai glané toutes ces saillies. Amusantes, égrillardes, désespérées, profondes, stupides ou lucides, elles ont renforcé mon humanisme chronique. Parce qu'elles sont la synthèse de nos enthousiasmes, de nos doutes, de nos insolences, de notre bon sens, de nos solitudes et de nos bienveillances. Je vais te les livrer telles quelles. Brutes.

Pendant cinquante minichapitres, tu croiseras des anonymes, des stars, des politiques. Tu te rencontreras surtout toi. Comme ces phrases inoubliables auraient pu être des dialogues de film, je donnerai à chacun de ces minichapitres le titre détourné d'un long-métrage à succès. Avec sa référence originale. En hommage discret aux metteurs en images de nos plus jolis mots. Pour chaque réplique, j'exposerai les circonstances dans lesquelles cette phrase a jailli. En parsemant cette exposition de nombreuses autres phrases de choc. Et surtout, en dérivant, comme je l'ai fait dans chacun de mes livres, au fil de mes humeurs de style.

Si tu es un fidèle de mes autres ouvrages, tu retrouveras ce que tu aimes. La forme est différente, mais le fond est le même. La familiarité, les confidences. Avec, parfois, un peu plus de trivialité que d'habitude. Mais il s'agit de te rapporter de l'oral. Et la fidélité *in extenso* à ces répliques impose de les reproduire sans pudeur littéraire. Les phrases comme elles sont, et les mots comme ils se disent. Il y aura beaucoup d'anecdotes, des parenthèses tendres ou acides, des messages de bienveillance et d'amour, et surtout de multiples diversions pour le plaisir d'écrire. En mémoire de mon maître à penser Frédéric Dard. Celui dont j'ai fait mienne la devise de vie. Celle qui terminait son autobiographie. La première phrase inoubliable de ce livre. Celle qu'un soir d'un repas de vrais amis, il m'a balancée les yeux dans les yeux :

— *Je suis un vieux fœtus blasé. Ma vie m'aura servi de leçon, je ne recommencerai plus jamais !*

LA FILLE DU BOULANGER

(*La Femme du boulanger.*
Marcel Pagnol. 1938)

Maman pour débuter, évidemment. Je sais que mes aficionados qui l'ont toujours croisée dans mes livres m'en voudraient qu'elle ne soit pas du voyage. Avec une première phrase qu'elle m'a rapportée. Forcément. Du chaud de mon placenta, je ne pouvais pas l'entendre. Le 13 novembre 1953. Ce qui aurait dû être le jour de ma naissance, mais qui ne fut que la veille. La sage-femme était une mauvaise sœur. C'est-à-dire une bonne sœur aveuglée par le dogme. Chaotique pratiquante. Bancale de la compassion. Impitoyable. Heurtée que le petit poussin ait été conçu hors mariage par un coq sauvage, elle a tout fait pour retarder l'éclosion. La fille mère devait payer sa faute. Ainsi sois-je ! Maman se tordait de douleur en suppliant qu'on la libère.

— *Tu souffres ? Tant mieux ! Ça t'apprendra à avoir du plaisir !*

Cruel. Barbare. Inoubliable autant pour elle que pour moi. Mais finalement, c'est peut-être cela qui a poussé Maman à m'éduquer dans la culture de l'instant heureux. Ce que toute douleur apprend au plaisir. Le boomerang de toute ma vie. Lancer la souffrance au loin pour qu'elle me revienne en bonheur. Maman était fille mère, donc. Mais mère d'abord, et fille s'il lui restait du temps pour ça. Et louve. Surtout ce jour où une star lui a proposé un marché bien généreux. Elle était serveuse au buffet de la gare de Souillac, dans le Lot. Un emploi de sauvegarde pour subsister à un et demi. Le demi, c'était moi. Le mini-môme qui n'avait qu'une moitié de parents.

La grande Joséphine Baker faisait régulièrement halte dans cette gare avant de rejoindre le château des Milandes qui abritait sa tribu arc-en-ciel. Un chapelet de gosses de partout qu'elle avait adoptés. Bébé, je sommeillais dans un berceau voisin. Celle dont la chanson « J'ai deux amours » était sur toutes les lèvres avait craqué pour Maman courage. Elle lui a proposé de l'emmener au château. Elle ferait la cuisine, et je grandirais sans souci matériel au chaud de la famille multicolore. Maman a poliment refusé. Les mots qu'elle a prononcés auraient pu, eux aussi, faire un refrain de chanson :

— *Je préfère ne le garder que pour moi. Vous avez deux amours, madame. Moi, je n'en ai qu'un !*

Et puis, plus tard, tant d'autres phrases inoubliables de Maman. Certaines que je recycle au hasard de mes spectacles. Histoire d'aiguiller mon public chéri dans la bonne direction. Celle de la sagesse ordinaire. La phrase qui a le plus de succès est un aphorisme sur l'argent :

— *À quoi ça sert de s'acheter un matelas neuf à crédit si le prix du crédit t'empêche de dormir ?*

Le bon sens des gens de peu. Tellement dévoyé par les gens de trop. La logique populaire. Celle qui sait viser haut sans viser trop loin. À l'instar du conseil qui accompagnait mes premiers pas d'écolier. Maman m'encourageait à travailler à l'école plus que les autres. Mais avec un bémol qui a conditionné tant de mes entreprises d'adulte :

— *Je ne veux pas que tu sois premier de la classe. Deuxième, ça suffit. Il faut toujours avoir une marche à monter !*

Elle avait raison. Elle avait toujours raison. Aujourd'hui qu'elle s'est envolée pour revenir se poser en sentinelle sur mon épaule, chaque sentence d'elle guide ma vie. Comme ce qu'elle continue à souffler à mon oreille au fil des livres que j'écris. Un cartoon irréel. Tome égérie !

La démonstration de sagesse et d'amour de sa part qui m'a le plus marqué est certainement la phrase qu'elle m'a murmurée un soir de Noël de pauvres. J'avais dix ans. Depuis trois ans, un nouvel homme, Camille le merveilleux, était entré dans sa vie. Je reparlerai plus loin de cet acteur majeur de mon enfance, bien loin de n'être qu'une doublure. Il ne m'avait pas fait, mais il me fabriquait chaque jour. En revanche, sa mère, paysanne ancrée dans une morale de vieille chouette aigrie, ne m'aimait pas. Mais alors, pas du tout. Forcément. Son fils chéri avait épousé la volage au bâtard. Et évidemment, elle adorait Michel et Françoise, mon demi-frère et ma demi-sœur. Enfin, pour elle. Parce que pour moi, je disais toujours :

– *C'est pas mes demis, c'est mes entiers !*

Ce soir de nativité, la vieille chouette avait apporté des cadeaux pour les enfants. Un pour Michel, un pour Françoise… et rien pour moi. Ça avait fini en drame. Maman avait hurlé et maudit tout le monde. Y compris le brave Camille qui n'y était pour rien. J'étais parti me réfugier à la cave. Pour y pleurer seul. Maman m'a rejoint et m'a serré longtemps dans ses bras. Elle aurait pu se contenter de ses larmes mêlées aux miennes. Sa chaleur suffisait. Elle m'avait déjà consolé de l'affront. Ce qu'elle m'a dit au froid de cette nuit de cave est gravé à jamais dans ma mémoire. Sculpté. Et je ressors ce poinçon à chaque désillusion :

– *Ferme les yeux, mon petit, pendant trente secondes. Et quand tu les rouvriras, tu t'apercevras que c'est un merveilleux cadeau de ne pas être aveugle !*

Alors, philosophe, Maman ? Tendre ? Douce ? Raisonnable ? Pas que. Et heureusement. Flamboyante, dévergondée et libertaire aussi. Libertaire surtout. L'autre poinçon de ma vie. Le doigt d'honneur dressé à toutes les bien-pensances. En blason. Notre héraldique incorrecte. Et sa devise audiardesque :

— *Ne te prive jamais de faire des conneries. Une vie sans connerie, c'est comme le gigot sans ail. Ça nourrit mais ça régale pas !*

Et ce dégoût viscéral des fourbes, des fainéants. Ceux qu'elle appelait « les sales aux mains propres ». Crados de l'âme. Qui n'avaient fait que l'effort d'être bien nés. Héritiers de tout. D'un nom, d'une fortune. D'une suffisance atavique pour le petit peuple. Quand elle en voyait passer un, elle me lançait en douce :

— *Celui-là, un jour, il sentira la merde, mais il sentira pas la sueur !*

Et puis ses jugements sur les relations sentimentales qui vont nous emmener tout droit au minichapitre suivant. Celui où je vais évoquer les vicissitudes de l'amour en couple. Il y avait du Pagnol dans ses sentences. Normal, on y était en plein. La fille engrossée par un fuyard, comme Fanny. Et Camille, le bon maître Panisse pour la recueillir. En plus, elle était fille de boulanger. Et Pomponette aussi. Inconstante. Elle connaissait par cœur le moindre recoin intime des Manon des sources locales et des bergers de gouttière. Moi qui étais fan du grand Marcel, quand elle me parlait, je l'entendais. Sans l'accent, bien sûr. Mais ça chantait quand même. Au point que dans une pièce que j'ai écrite à la manière de Pagnol, *Le Secret des cigales*, j'ai recyclé beaucoup des phrases de Maman. Celle qui suit, par exemple, pour conclure ce minichapitre avec le sourire. Après l'avoir commencé dans le drame. Pour l'alternance, comme ce sera le cas tout au long de cet ouvrage. À l'image de nos vies.

Transpose-la avec l'accent d'en bas, cette phrase. Ajoutes-y une goutte d'anisette, un rayon de soleil, un fond sonore de cigales. Et imagine le patron du bar de la marine, cartes en main, expliquant entre deux tricheries sa vision du mariage à un M. Brun curieux, un Escartefigue vexé et un Panisse ravi. C'est César qui dit le texte, mais ce n'est pas Pagnol qui l'a écrit. C'est Maman :

— *Les hommes, les emmerdeuses, ils les épousent. Et après ils prennent des maîtresses pour qu'on leur foute la paix. C'est pour ça qu'il ne faut jamais se marier avec sa maîtresse. Parce qu'à peine sortie de l'église, ça devient une emmerdeuse !*

UN HOMME ET UNE EX-FEMME

(*Un homme et une femme.*
Claude Lelouch. 1966.)

Ah, l'amour ! Et un chagrin du même nom pour ouvrir le bal. Enfin, si j'ose dire. Parce que, quand même, quelle sale danse ! Quand ton ou ta partenaire a lâché ton bras et que tu te retrouves seul ou seule au milieu de la piste. Avec, évidemment, en accompagnement musical, tous les airs les plus inadéquats en la circonstance. Tu as remarqué comme, dans ces moments-là, tu prends systématiquement en rafale les chansons d'amour les plus désespérées. Au détour d'une radio, d'une télé. Avec en tête de liste « Ne me quitte pas » et « Je suis malade ».

C'est en cela que, malgré les railleries diverses, je reste fier de mes « Sardines » et de mes « Serviettes qui tournent ». Elles ont au moins l'avantage de ne retourner le couteau dans la plaie de personne. Même si je reconnais que « le petit bonhomme en mousse, qui s'élance et rate le plongeoir » peut, par association d'idées, te pousser à sauter dans la Seine. Ce que, pour redevenir sérieux, je ne conseille bien sûr à personne. Aucun chagrin d'amour ne mérite qu'on tente de mettre fin à ses jours. C'est ce que me disait un vieux fêtard aviné optimiste qui en était la preuve titubante, mais vivante :

— *Plutôt qu'une fin à tes jours, il vaut mieux mettre un début à tes nuits !*

Il y a aussi une autre phrase qui peut te dissuader de t'immoler sur l'autel des amours perdues. C'est celle qu'un ami musicien du Grand Orchestre du Splendid m'avait balancée, un soir de déprime. Un chagrin d'amour m'avait détruit. J'étais à deux doigts de la faire, la grosse bêtise. L'homme à la trompette m'a pris par l'épaule et m'a murmuré à l'oreille :

— *Quand un amour te quitte, c'est qu'un autre t'attend !*

Cette phrase d'espoir a résonné longuement dans ma tête. Je crois que c'est elle qui a désamorcé toutes mes velléités d'en finir. Et pourtant, je souffrais énormément. Je pensais qu'on ne pouvait pas aller au-delà de cette douleur. Mais il y a toujours pire que pire. La preuve. Le chagrin d'amour que je vais évoquer maintenant se situait encore plus haut sur l'échelle de la souffrance et du désespoir. Très très loin de ces similitristesses d'adolescent où on se suicide au Nutella. Encore plus loin de ces bluettes désenchantées d'aujourd'hui expédiées par SMS. Le temps de trouver un autre destinataire à nos petits cœurs rouges et à nos je « t'M » en abrégé, comme nos sentiments. Non. Celui-là, c'était un chagrin d'amour comme on n'en vit qu'une fois. Un de ceux qui accouchent des répliques de théâtre ou de cinéma les plus émouvantes. Comme celle de Michel Simon, par exemple, dans *Le Quai des brumes* :

— *C'est horrible d'être amoureux comme Roméo quand, comme moi, on a la tête de Barbe-Bleue !*

C'était un chagrin d'amour qui assassine. Un de ceux dont on meurt sur le coup et dont on ne ressuscite que longtemps plus tard, en gardant des stigmates indélébiles. Ces marques au cœur que l'on conserve même guéri parce que les cicatrices ne bronzent pas au soleil. Un de ces manques de l'autre dont Cabrel a si bien résumé la douleur suffocante :

— *Entre nous, plus il y a d'espace, moins je respire.*

C'était un autre chanteur ami. Je préfère lui conserver l'anonymat. Question de dignité et d'amitié vraie. Un joyeux, un beau vivant, un élégant. Séducteur en plus. Il n'avait rien du Quasimodo d'Esméralda. C'était plutôt le Christian de Roxane. Un de ceux dont tu envies les succès amoureux. Sans imaginer une seconde qu'un homme de cette race des seigneurs puisse être foudroyé par un éclair d'abandon en plein cœur. Et, par la suite, adopter pour devise *ad vitam aeternam* la phrase d'une chanson de Brassens :

— *Parlez-moi d'amour et je vous fous mon poing sur la gueule !*

J'avais eu le privilège de connaître les prémices de la plus belle histoire d'amour de sa vie. À cette époque-là, il collectionnait les aventures. Toutes plus jolies les unes que les autres. Le plus souvent sans s'attarder au-delà du petit matin. Tu sais, ces passades auxquelles tu fais quoi qu'il en soit deux fois l'amour dans la nuit : la première et la dernière. Cette fois-là, il y avait eu d'autres nuits et d'autres matins. La conquête était splendide, intelligente, d'une classe folle. Son double idéal. À la première apparition de sa déesse, j'avais même menacé, en bienveillant faussement agressif :

— *Si celle-là tu ne l'épouses pas, je te casse la gueule !*

Il l'a épousée. Lui a fait des enfants. Beaux comme eux deux. On peut parler de couple parfait. Uni, fidèle, passionné. Soudés l'un contre l'un dans la chaleur de l'autre. Un chemin tracé main dans la main. L'amour absolu en décalcomanie. Indélébile. Au quotidien, ils étaient inséparables. La petite famille suivait chaque tournée, chaque spectacle dont il assurait ma première partie. À l'envers de mes errances à moi. Marié, mais faisant de mes concerts des escapades interdites à mes officielles. Ce qui, bien entendu, a été fortement préjudiciable à la longévité de mes unions. D'ailleurs, à chacune de mes embardées, chacune de mes désillusions agrémentées d'une cuite de secours, mon ami y allait de sa sentence :

— *C'est normal que tu te vautres ! Tu cavales comme un cheval fou.*

Et lui, tranquille au haras. Au chaud sur une litière d'amour absolu. Des prévenances, des partages. La fusion idéale. Et puis, un matin… le box vide ! Elle avait fui avec les petits poulains. La fin de la belle histoire. Celle que pourtant elle avait scellée en lui faisant dès le début une promesse qui paraissait inaltérable :

— *Je ne suis pas sûre de t'aimer toute ta vie, mais je suis sûre de t'aimer toute la mienne !*

Le pire, c'est qu'elle n'était pas partie pour un autre. Elle était partie pour elle. Même pas une ruade. Un galop définitif sans espoir de retour. Et pour lui, le précipice. Un désespoir incommensurable. Une détresse comme j'en avais rarement été témoin. Putain de casino du cœur ! Une perte à la hauteur de la mise.

J'avais arrêté de boire depuis quelques mois. Lui commençait pour de longues années. Au coin d'un bar, une nuit de réconfort, j'ai tenté de mon mieux de colmater la brèche. Même la phrase de mon ami musicien en référence à un autre amour qui l'attendait ne lui avait pas ôté la moindre once de chagrin. Il y avait surtout pour lui cette incompréhension après des années d'application. L'amour comme on le rêve. Fidèle, sans bavure. Mais, en ce domaine, le futur ne se contente jamais du présent. Il a lâché quelques larmes. Je l'ai longuement écouté déverser les détails de son paradis perdu. Les partages, les nuits, les petits matins. Et ce métier qu'il ne faisait plus uniquement pour lui, mais pour eux. Pour que la tribu soit fière de chacun de ses succès. Il m'a lâché une première phrase inoubliable :

— *C'est pas elle qui me manque, c'est nous !*

Celle-là, en traqueur de formules, je l'ai mise de côté. Je viens d'en faire récemment le refrain d'une chanson. À toute chose malheur est bon. Et puis, il m'a montré sur son bras le tatouage de tous les prénoms de la petite famille entrelacés. Ineffaçables. Et, en guise de conclusion, il m'a fait un aveu que je n'oublierai jamais. Sûrement le cri le plus désespéré que j'ai entendu de la bouche d'un homme blessé par l'amour :

— *Tu sais, Patrick, tous les soirs, avant de me coucher, je mets des miettes de pain et des bols renversés sur la table de la cuisine pour me faire croire au réveil que les enfants sont partis à l'école !*

BOUVARD DU CRÉPUSCULE

(*Boulevard du crépuscule.*
Billy Wilder. 1950)

Un autre chagrin d'amour. Avec en point d'orgue une autre phrase inoubliable. Drôle cette fois. C'est Philippe Bouvard qui l'a prononcée. Les mots n'étaient pas de Guitry, mais ils étaient dignes de lui. Parce que s'il en est un dont l'esprit du grand Sacha coule dans les veines, c'est bien Philippe Bouvard. Autodidacte, même pas bachelier, l'homme est d'une finesse littéraire absolue. Une culture exemplaire et une repartie de compétition. Comme quoi, hein ?

Pendant des années, j'ai eu la chance de participer aux *Grosses Têtes*. Celles de la rue Bayard des années quatre-vingt. Où l'on se rendait sans peur et sans reproches. Les réseaux sociaux et les bien-pensants n'avaient pas encore posé leurs filets pour emprisonner nos gros mots, nos dérapages, toutes nos inconvenances. Liberté, liberté chérie ! À peine franchies les portes du studio, il régnait autour de chaque enregistrement, à l'époque, un parfum d'esprit incomparable et une joie de vivre bon enfant. Le mot est juste. C'est ce que nous redevenions le temps de l'émission : des enfants. Des sales bons gosses.

Ces enregistrements, contrairement à aujourd'hui, se passaient le soir. La belle occasion pour les bons vivants comme moi de prolonger ensuite la nuit dans les endroits les plus festifs de la capitale, accompagné des plus déjantés des pensionnaires. Je me souviens en particulier d'une nuit de dérive en compagnie de l'Amiral Olivier de Kersauson. En hommage à ses origines bretonnes, j'avais détourné le « Kenavo » d'au revoir en « Caniveau ». La destination annoncée de notre fin de nuit.

Au moment où, lucide, je comparais nos errances à celles de jeunes chiens fous, il m'avait lancé :

– *Ah, non ! Pas des chiens ! Parce que le chien, quand il a baisé, il continue à remuer la queue !*

Bien souvent, l'amorce de la fête prenait corps pendant l'enregistrement lui-même. Les paniers remplis de victuailles diverses et de bons crus qu'apportait Jean-Pierre Coffe nous mettaient déjà en condition. Honte à nous ! Les hygiénistes du corps et de la pensée d'aujourd'hui nous maudiraient. On fumait, on buvait, on disait des énormités dont les plus outrées étaient coupées au montage. Il m'en reste une nostalgie enchantée et une citation de Frédéric Dard qui ne peut pas être mieux appropriée :

– *C'est avec les gens intelligents qu'on déconne le mieux !*

Au début des années quatre-vingt, c'était l'époque des seigneurs. Yanne, Martin, de Kersauson, donc. Des maîtres ès répliques. Improvisateurs de génie. Passant allègrement de la trivialité la plus abrupte à la saillie la plus élégante. C'était chaque fois un festival de vraie bonne humeur et surtout de liberté de ton absolue. Même le grand Léon Zitrone, le plus raisonnable et le moins sniper de tous, était capable, involontairement, de s'aligner sur les plus doués dans la catégorie « repartie de concours ». Comme à cette occasion où, fatigué qu'on le harcèle de demandes d'autographes, il avait lancé à une brave dame dans la rue :

— *Je vous interdis de me reconnaître !*

Ce soir-là, jour de l'enregistrement, on n'avait pas trop l'esprit à la farce. Solidarité amicale. On venait d'apprendre le drame. La félonie, la trahison, le crime de baise-majesté. Notre ami Jacques Martin, le roi de nos dimanches après-midi, venait de subir le plus outrageux des affronts. On était tous aux aguets dans la coulisse du studio de RTL. Chacun préparait le mot de circonstance à dire… ou à taire.

Résumé des faits :

Jacques s'était marié à la mairie de Neuilly quelques années plus tôt avec la belle Cécilia. C'est Nicolas Sarkozy, alors maire de la belle cité, qui les avait unis. Un mariage people couvert par toute la presse spécialisée dans le bonheur médiatique. Le paradoxe du chaud-froid. Le plus ardent de l'amour sur papier glacé. Comme une prémonition. Et puis le couple Martin avait sympathisé avec le couple Sarkozy. Une belle amitié. Des soirées, des partages. Et Jacques ne tarissait pas d'éloges sur cet élu si dynamique à qui il prévoyait à qui voulait l'entendre un avenir élyséen.

Ce qu'il n'avait pas prévu, c'est que Nicolas deviendrait le premier élu… du cœur de Cécilia. En ce jour funeste, Jacques avait appris la trahison et surtout la rupture avec celle qui allait devenir la première dame de France en 2007. Enfin, première dame pour quelques jours seulement, puisque Cécilia reproduira la même défection aux dépens du président fraîchement élu au profit d'un nouvel amour. Ce que m'avait commenté ainsi un de leurs intimes qui avait aussi été le témoin privilégié de la rupture avec Jacques Martin :

— *Avec cette assiduité-là, on peut plus parler de coup de cœur, ça devient une tradition !*

Mais revenons au jour funeste de 1988. Jacques fit une entrée tonitruante dans la coulisse du studio. Déchaîné, en rage, il écumait. Vraiment. La bave aux lèvres. Il nous balança comme un scoop la nouvelle que tout Paris connaissait. On se garda bien de lui signaler qu'on était déjà au courant. Histoire de lui laisser l'exclusivité de son indignation. C'était la moindre des choses. Et il y eut un déferlement d'insultes toutes plus haineuses les unes que les autres. « Enfoiré de nain ! » et « sale ordure ! » furent parmi les plus douces. Il tournait comme un fauve en cage. Nous, on assistait à la grande scène du II sans oser dire quoi que ce soit.

On était partagés entre la compassion et une formidable envie de nous marrer tant on se serait cru dans une pièce de Courteline. Plus il nous abreuvait de détails, plus on quittait le drame pour le vaudeville. Il faut dire que le cocufiage était de haute volée. Se faire piquer sa tourterelle par celui qui a officialisé le passage de bague à la patte, ça sentait le pigeon !

Au bout d'un quart d'heure de monologue, Jacques eut une ultime envolée grossière envers celui qui venait de lui voler sa femme. En y assimilant tous les maires de France. Capables de trahir à la fois leurs amis et la république en reniant le sacré de leur fonction. Emphatique, il aurait pu dire :

— *Comment peut-on défaire dans le lit de l'opprobre ce que la loi a scellé dans le lit de la république ?*

Mais la tournure des événements a pris le pas sur la tournure de style. Il a exprimé son indignation avec des mots moins choisis où on percevait des « fumier ! », et même des « bâtard ». Mais le sens général restait le même : c'était une trahison inqualifiable. Et puis, il s'affala, à bout de souffle. Il s'ensuivit un long silence. Et, la voix éraillée par les efforts d'avant, avec une sincérité qui laissait entrevoir qu'il mettrait vraiment sa menace à exécution, il laissa tomber :

— *Je vais le tuer, ce salopard !*

Je guettais la réplique de Yanne. Un encouragement qu'il aurait lancé rigolard. Ou une impro de Kersauson sur le thème : « Ça m'étonne pas, toutes les mêmes ! » C'est Bouvard, tout en flegme, qui lança « La Phrase ». Un vrai petit chef-d'œuvre.

— *Mais enfin, Jacques ! Tu ne vas quand même pas tuer le maire de tes enfants !*

JOHNNY S'EN VA-T'EN PAIX ?

(*Johnny s'en va-t'en guerre.*
Dalton Trumbo. 1971)

Je te propose pour les minichapitres qui vont suivre un triptyque à 43 degrés. Ceux du whisky. Et trois stars addicts qui en sont mortes. Enfin, peut-être pas exclusivement, mais ça y a été pour beaucoup. On commence par l'idole absolue. *Johnny for ever !* Le 9 décembre 2017, ils étaient un million pour lui sur les Champs-Élysées. Certains y reviendront l'année suivante en gilets jaunes. Les mêmes pour beaucoup. Mais là, ils y étaient en blousons noirs. Deux deuils à un an d'intervalle. À quelques lettres près. Celui d'une idole et celui d'un idéal. Ce jour-là, c'était les funérailles du taulier. De la légende. Impressionnantes. La vraie tristesse des fans. Les simples. La France d'en bas. Aux larmes, citoyens ! Sincères. Orphelins.

Et dans l'église de la Madeleine, les autres. Les vrais aussi, bien sûr. Mais aussi les faux-semblants. Un festival. Derrière le cercueil, trois présidents : Macron,

Hollande, Sarkozy. Pendant leur règne, ils ont tous fait des lois pour nous empêcher de boire, de fumer, de conduire vite, et de planquer l'argent à l'étranger. Et là, ils venaient rendre hommage à un mec qui n'avait fait que ça ! Rock and roll !

Et puis, bien sûr, la famille déchirée. Réparée pour l'occasion. Un peu dispersée quand même. La légitime en escorte officielle et les autres en pied de grue. Alors, évidemment, les accolades de circonstance. Le chagrin partagé. Et mille photographes pour les larmes à la une. Pour les plus observateurs, le cliché en filigrane. Invisible à l'œil nu : le poignard virtuel planqué dans chaque main qui tape dans le dos de l'autre. La veuve, les ex, les mômes. La dernière parade avant le grand cirque médiatique. Il était une fois. Comme le début d'un conte… en banque. Cela ne m'a pas surpris. Dans un spectacle au Casino de Paris quelques années plus tôt, je m'étais attiré les foudres d'une partie de la tribu. Je disais :

— *J'adore Johnny, mais j'ai du mal avec l'entourage. Je les appelle « les jardiniers ». Parce que c'est tout un art d'arroser un arbre avant qu'il tombe pour en cueillir les fruits !*

Prémonitoire. Une saillie de chansonnier. Acide, mais lucide. Mon avis ? Au fond de moi, je m'en fous. Et puis dans cette affaire, rien n'est blanc, rien n'est noir. Il n'y a pas d'un côté les gentils et de l'autre la méchante. Ce serait trop facile. Il y a des fourberies, des vraies tristesses, des manques, du chagrin, de la sincérité, des mensonges. Enfin, notre vie à tous. Avec les flashs en loupe. Combien d'héritages ordinaires dégénèrent tout autant ? La surexposition est bien plus indécente que la manœuvre. L'argent n'a pas d'odeur ? L'adage est faux. Il a au moins l'odeur pestilentielle de l'encre des journaux people.

Moi, le seul héritage de Johnny qui m'intéresse, ce sont ses chansons. Et puis la bête de scène. Le rêve. Un bout de ma vie qui s'est envolé. Un de plus. Johnny, c'est d'abord le souvenir d'un concert à Brive quand j'avais quatorze ans. La magie. En entrant dans la salle, je trouvai débiles ces fans qui se précipitaient pour se coller à la scène en hurlant. Une demi-heure plus tard, je faisais pareil. Et le lendemain, j'allais le guetter à la sortie de son hôtel en mendiant un autographe.

Et puis, dans un coin de ma nostalgie, le rêve réalisé. Des rencontres. Rares, mais intenses. Un dîner chez lui. Et quelques confidences au compte-gouttes. Et peu de mots pour les dire. Si ce n'est quand on a parlé de la célébrité et de ses obligations. Avec un aveu qui résume peut-être le mieux ce qu'était le personnage :

– *Tu sais, depuis l'âge de seize ans, on fait des photos de moi. Je me suis plus vu dans les magazines que dans le miroir de ma salle de bains !*

Il y a bien longtemps que Johnny n'était plus Jean-Philippe. Seuls des esprits avisés et désintéressés pouvaient détecter derrière les coups d'éclat et les excès en tout genre sa vraie pudeur et sa timidité. C'est ce que j'ai essayé de lui exprimer. J'ai senti une gêne et presque un reproche. Comme si je voulais faire tomber un masque qu'il ne voulait pas enlever. La plupart de ses interlocuteurs étaient des flatteurs et des idolâtres. Moi, j'essayais de lui parler d'homme à homme. Je voulais aller voir la face cachée de l'affiche. L'entretien a tourné court. Il s'en est sorti avec une pirouette amicale :

— *Tout ça, c'est du gris. C'est pas ma couleur préférée. Et si on se buvait un petit verre de blanc plutôt ?*

Johnny avait renoncé depuis bien longtemps à être autre chose que Johnny. En osmose totale avec la légende qu'il avait créée. Mais, pour moi, en désaccord avec ce qu'il était vraiment : un gosse à qui on n'avait pas laissé le temps de grandir. Ceci explique cela. Et peut-être même tout. L'alcool, la démesure, la complexité des rapports avec ses enfants. Sauf avec les dernières. Les adoptées, les lointaines. D'autant plus « à » lui qu'elles n'étaient pas « de » lui. Carlos, un de ses rares amis vrais, m'avait confirmé ce que je ressentais de l'idole :

— *La vie de Johnny, c'est une course. Mais il ne cavale ni après la gloire, ni après l'argent, ni après l'amour. Il se fuit.*

Voilà pour ma modeste analyse du phénomène. Elle vaut ce qu'elle vaut. Et elle ne change rien au respect que j'ai toujours eu pour l'homme et pour l'artiste. Et puis à quoi bon tenter de décortiquer la bête ? Il était ce qu'il était. Et même si certaines de ses facettes étaient discutables, autant en rester à la sentence de son autre ami vrai, Pierre Billon. Après sa mort, on avait échangé quelques mots sur l'incongruité apparente de l'héritage, la véritable relation avec Laetitia mi-mante mi-sainte, le train de vie irréaliste, les multiples retournements d'amitiés. Pierre ne l'absolvait certainement pas de tout, mais il a résumé parfaitement tout ce qu'il était possible de porter comme jugement de valeur sur l'idole en me murmurant :

— *On verra plus tard. Pour l'instant, on ne déboulonne pas la tour Eiffel !*

Alors revenons dans la capitale et à cette soirée avec Johnny très arrosée, dans un restaurant italien de Montmartre. On avait chanté le blues tous les deux. Il s'était arrêté au bout d'un couplet en me bredouillant :

— *Je m'arrête, parce que Johnny, tu le fais mieux que moi !*

Te dire dans quel état on était ! Il fallait bien boire. Plus ils sont nombreux autour de nous, plus on est seuls. Alors on met de l'alcool sur nos plaies d'amour, sur nos manques, sur toutes les fausses amitiés qui nous entourent. Pour désinfecter. C'est sûrement aussi pour ce pansement-là que, le soir de l'enterrement, j'ai croisé un groupe de fans qui noyaient leur chagrin dans la bière brune. Ils noyaient aussi leur désespoir de savoir qu'une autre bière, la blanche de leur idole, allait s'envoler à l'autre bout de la terre. À Saint-Barth. Bien trop loin pour aller se recueillir. Une trahison ? Même pas. Parce que si « IL » l'avait décidé ainsi, c'est qu'« IL » avait ses raisons. Et « IL » avait toujours raison.

Le plus triste de tous était un vieux biker usé. Tout en cuir et en chaînes. Poignet de force et boucle d'oreille. Barbichette et cheveux en arrière. Pareil. Cloné. La même croix autour du cou. Le tatouage de la gueule de l'idole sur le torse. Il chantait « Que je t'aime ! ». Faux. Mais il pleurait juste. Les larmes dans la voix, il m'a résumé d'une phrase inoubliable la seule véritable croyance de sa vie. Son unique religion. La dévotion à son Dieu blond :

— *Moi, je m'en fous qu'il soit enterré à Saint-Barth. Ce qui m'intéresse, c'est où il va ressusciter !*

LÉO DE HURLEMENT

(*Les Hauts de Hurlevent.*
William Wyler. 1939)

Les Léotard. Mais on les abrégeait « Léo ». Philippe, c'était l'acteur. Le frère de François, le ministre. Le même nom de famille, le même sang, mais pas le même rang. Un metteur en ordre et un amoureux du désordre. Dans un sketch de l'époque, je disais :

— *Il y a deux Léotard. Un qui boit et l'autre qui devrait !*

Dans les années quatre-vingt, les deux frangins défrayaient la chronique. Les pages politiques des journaux pour François dans lequel beaucoup voyaient un présidentiable à la Kennedy. L'élégant, le politiquement correct, le sans faille. Les pages cinéma et faits divers pour Philippe. L'écorché, le vagabond, l'hirsute. Ce qui n'enlevait rien à leur indéfectible amour réciproque.

Philippe avait explosé dans le film *La Balance*. C'était raccord. En balance perpétuelle entre fiction et réalité sauvage. L'alcool fort, la drogue, l'autodestruction. Ce désespéré lumineux est l'artiste le plus flamboyant que j'aie rencontré. Il flamboyait vraiment. Le visage rouge luisait des sueurs d'alcool. Et dans ses yeux tombants, on pouvait apercevoir les flammèches de l'incendie intérieur qui le ravageait.

On s'est connus dans un bar-restaurant de nuit corse du dix-septième arrondissement de Paris : La Madrague. Mangeoire et abreuvoir de qualité en début de soirée. Et puis, plus tard, un refuge pour chiens perdus sans vrais colliers et tapins avec faux bijoux. Vers trois heures du matin se côtoyaient les égarés. Artistes, musiciens, voyous, et prostituées voisines qui arpentaient l'avenue Niel. C'est l'alcool qui nous a réunis, Philippe et moi. C'est son humanisme, sa beauté intérieure et surtout son intelligence qui m'ont conquis. Il avait été le plus jeune professeur de philosophie de France. Et là, même titubant et mâchonnant ses mots, son esprit restait d'une fulgurance étonnante.

Je me souviens d'une première phrase inoubliable. Entre deux Ricard de quatre heures du matin. Il l'a bredouillée à une gagneuse préoccupée par les ravages du temps. Elle s'était assise près de lui sur une banquette du bar. De loin, on les aurait dits siamois. Frère et sœur d'errance. Paumés pareils. Elle n'avait que trente-cinq ans, mais les nuits rauques lui avaient griffé le teint. Elle en faisait dix de plus. Il l'a écoutée. Ils ont un peu pleuré ensemble. Il a commandé encore un verre et il lui a donné un conseil de poète. Bienveillant.

— *Regarde-toi tous les matins dans un miroir fêlé. Comme ça, tu pourras te faire croire que c'est lui qui a des rides !*

J'ai tout adoré de cet homme. Ses forces et ses fragilités. Son suicide programmé qui ne regardait que lui. À petit feu. Cocaïne, nicotine et alcool. Il en rigolait :

— *J'aimerais boire et fumer deux fois plus pour que ça aille plus vite.*

Et ce cri d'amour désespéré pour sa Nathalie Baye que lui avait fauché Johnny. Cette trahison dont il ne se relevait pas. La rupture, bien sûr. Et puis le nid d'amour en Creuse. Leur maison, où il avait aussi fallu laisser la place. Alors, son dépit, sa souffrance, il les hurlait aux passants, les prévenant qu'il ne fallait pas se tromper d'idole. L'idole, c'était lui, le brillant, le cultivé, pas le pantin à paillettes. Après avoir fracassé le énième verre sur le trottoir sale, il s'écroulait en geignant :

— *Mais comment elle a pu me quitter pour ce con ?*

On le relevait et on le rentrait. Désarticulé, en pleurs. Beau quand même. L'extrême désespoir a toujours quelque chose de sublime. Et tout de suite derrière, un immense éclat de rire. Et on reprenait le voyage au pays des jolis mots. Des citations de philosophes, des indignations, des rires rocailleux. Et puis la voix finissait toujours par s'adoucir. Presque féminine. Une autre phrase inoubliable est venue en réplique à une vaine tentative de ma part de le raisonner. Je lui avais dit :

— *Tu as encore tellement de choses, tellement d'émotions à nous transmettre. Avec ton putain de talent et ton âme si magnifique, tu ne crois pas qu'en te détruisant à ce point-là tu as perdu du temps ?*

Il a levé vers moi ses yeux affaissés et m'a murmuré avec un grand sourire :

— *J'ai surtout perdu le temps qu'il me reste !*

Quelques années plus tard, peu de temps avant qu'il parte, je lui avais proposé de jouer une séquence dans une émission spéciale que j'avais composée autour d'Eddy Mitchell. Il récitait *Le Cimetière des éléphants*. Plan très serré sur sa gueule cassée et ses yeux de chien battu, ça reste un de mes souvenirs de télé les plus émouvants. À l'instar de Claude Berry qui avait puisé dans le vrai désespoir de Coluche pour *Tchao pantin*, je m'étais nourri de la vraie détresse de l'homme pour tirer le meilleur de l'acteur.

— *Il faut me garder et m'emporter. J'suis pas périssable, j'suis bon à consommer. Te presse pas, tu as tout le temps d'chercher le cimetière des éléphants !*

Il était bouleversant de vérité. Et pour cause. Tellement juste dans l'apparence et dans l'âme. L'œil de pachyderme blessé, la voix et le cœur éraillés. Et bien sûr la dose d'alcool et de tabac juste avant comme pour effectuer un raccord de maquillage interne. Ce jour-là, juste après le tournage, dans la loge, il s'est épanché dans une rafale de phrases inoubliables. Comme si la séquence enregistrée n'avait été qu'un training pour les émotions d'après. Il a d'abord vidé un énième verre en balançant :

– *J'bois pas par goût, j'ai jamais soif !*

Je recyclerai la phrase dans la bouche de Myriam Boyer à l'occasion de mon film *T'aime* dont on parlera plus loin. Et puis, il a prolongé le texte du *Cimetière des éléphants* en dissertant longuement sur le malheur. En m'expliquant sa dépendance à la tristesse. Une drogue aussi. Comme ces joueurs de casino qui ressentent des montées d'adrénaline plus jouissives quand ils perdent que quand ils gagnent. Le paradoxe des losers addicts au spleen. Il a conclu le sujet en me disant :

– *Le bonheur, il faut l'arroser comme une fleur. Moi, je l'arrose avec du pastis... pour que ça fane plus vite !*

Son visage s'est une fois de plus tordu de douleur. Et il est parti dans une longue litanie sur le droit de mourir de ce qu'on veut. En argumentant sur le fait qu'on ne nous laissait pas le choix de notre naissance, et que donc c'était la moindre des choses de nous laisser celui de notre mort. Il a enchaîné en pestant contre tous les briseurs de liberté, et en alignant tous les slogans d'un Mai 68 si cher à son souvenir. Avec bien sûr, en étendard, la phrase sacrée :

– *Il est interdit d'interdire !*

Pour conclure sa péroraison magnifique, il a passé en revue tous les grands écrivains et autres peintres éthyliques qui d'après lui n'auraient jamais laissé autant de chefs-d'œuvre sans l'aide de l'alcool. Une dernière rage nostalgique lui a plissé un peu plus les traits, et puis, comme toujours, d'un coup, il s'est éclairé d'un immense sourire. La voix est redevenue gaie et sautillante, et il a lancé :

— *Faut qu'ils arrêtent de nous faire chier avec l'alcool ! Y a pas que le whisky qui tue les artistes. Y a la flotte aussi. Ben, oui… Claude François !*

CARLOS, LE TERRORIRE

(*Carlos*. Olivier Assayas. 2010)

Carlos. Pas le terroriste. Le « terrorire ». L'autre, le gentil. Mais emprisonné lui aussi. À perpétuité. Dans son image de marque de rigolo. Malgré les apparences, encore un écorché. Un soiffard comme le roi Léo. Mais sans les rides creuses, celui-là. Tout en rondeur. Et la dernière blague à la place du désespoir affiché. Un bon gros nounours que l'intelligentsia avait étiqueté primaire et sans profondeur pour des « Big bisou » et des « Rosalie » de guinguette. Et pourtant, Dieu sait si l'homme était intellectuellement riche, cultivé, réfléchi. Hyperactif, voyageur du bout du monde. Il comptait parmi ses amis les plus simples et les plus érudits. Je suis fier d'en avoir été.

J'ai déjà raconté dans un autre ouvrage son conseil qui m'a sauvé la vie le jour de la mort de mon fils. Ces mots de sauvegarde sont inoubliables. C'est pour cela que même si tu les connais déjà, ils ont leur place ici. Alors, je résume : j'étais abattu, détruit, incapable de faire un pas après avoir appris le drame. Je lui ai téléphoné pour qu'il vienne me remplacer sur la scène du spectacle que je devais assurer le soir au Grau-du-Roi. J'étais persuadé que je n'en aurais pas la force. Il m'a dit :

— *Je peux venir, mais je ne viendrai pas. Parce que si tu n'y vas pas toi, tu ne t'en sortiras jamais. Tu vas monter sur scène, tu vas leur donner de l'amour. Et ils vont te le rendre. Et c'est cet amour qui va te faire tenir debout.*

Il avait raison. Ce sont ces mots-là qui m'ont sauvé la vie. Bien plus que dans l'instant. Par la suite, j'en ai fait une règle de vie. Une certitude que j'essaie de transmettre à tous ceux qui m'entourent. Ne jamais s'apitoyer sur son propre chagrin. Et au lieu d'attendre un soutien des autres, leur donner tout l'amour possible. C'est le leur qui va te sauver en retour. Ce jour-là, avant de raccrocher le téléphone, Carlos m'a dit :

— *Le plus beau cadeau que l'on fait à soi-même, c'est ce qu'on offre aux autres !*

Cette phrase a tracé la plupart des contours de mon chemin de vie. Et tout ça, non pas grâce à des conseils de philosophe reconnu, les injonctions d'un psychothérapeute, mais grâce aux mots d'un clown. D'un grivois, d'un léger, d'un futile en chemise tahitienne. Cette même chemise tahitienne dont on l'habillera sur son lit de mort. Histoire de prolonger la fête jusqu'au bout. Un dernier rayon de soleil. Parce que la mort, c'est pas sérieux. C'est une putain imprévisible qui te racole au coin du bois :

— *Tu viens, chéri ?*

OK, j'arrive ! Pour moi, ça ne va plus beaucoup tarder maintenant. Que mes héritiers patientent encore un peu. Et la télé aussi pour préparer l'émission hommage. Tu sais, le défilé des compassés où même ceux qui pensaient du mal de toi viendront en dire du bien. Le « squelette show » si lucratif en audimat.

Diversion personnelle, histoire de te glisser la phrase inoubliable que je souhaite prononcer en dernier, si j'en ai encore la force. Celle que je veux qu'on inscrive sur ma tombe. Pour faire taire justement les hommages des faux flatteurs d'après. De bâillonner les salopards de mon vivant qui tenteront, à peine tiède, de la jouer compassés. Je tiens, à travers cette phrase, à ce qu'on respecte absolument ce qui sera ma dernière volonté. Y compris à la télévision.

Cette phrase n'est pas de moi. Elle est de Jacques Brel. Il l'a prononcée dix minutes avant sa mort, le 9 octobre 1978 à l'hôpital de Bobigny :

— *Si vous m'aimez, fermez vos gueules !*

Elle vaut bien celle que mon gros Carlos m'a murmurée peu de temps avant de s'envoler. C'était à Deauville, son fief. Le « crabe » progressait à grands pas. Même en marchant de travers, et malgré la surface à parcourir, il grignotait tout, l'enfoiré ! Mon pote avait bien essayé des pseudotraitements miracles venus d'outre-Atlantique, mais, au fond de lui, il savait que ça n'allait plus durer très longtemps. Je le voyais s'enfiler des verres d'alcool, alors que sa maladie le lui interdisait formellement. Il y a eu d'abord juste des regards échangés, sans un mot.

Dans le mien, il a lu :

— *Tu ne devrais pas !*

Dans le sien, j'ai deviné la réponse :

— *Perdu pour perdu, autant en profiter !*

Et puis la phrase inoubliable. Sonore. Rieuse. Avec, à la fin, le doigt dans la bouche qui claque pour imiter le bruit d'un bouchon de bouteille qu'on éjecte. La pirouette du clown. Le pied de nez au linceul en souvenir des excès de discothèques qui l'y menaient tout droit :

— *Au moins, une fois dans le cercueil, je suis sûr de passer toutes mes nuits en boîte !*

Comme je l'ai déjà indiqué plus haut, Carlos, sur sa dernière couche, était habillé en Carlos. Chemise à fleurs, pantalon blanc et pieds nus. Comme s'il partait à la plage. Prêt à plonger dans les mers de corail du bout du monde où il aimait tant faire le poisson. Si la réincarnation existe, c'est ce qu'il doit être. Logique. Il l'était dès sa naissance par son signe astrologique. Une correspondance qui lui allait parfaitement puisque, comme il aimait le répéter :

— *Poisson, y a pas mieux comme signe pour un mec qui aime boire et baiser. C'est le liquide qui le soutient et la queue qui le dirige !*

Blagueur, farceur, boule de bonne humeur, il traversait la vie à cloche pied. En joueur de marelle. Comme tous ceux qui veulent atteindre le ciel sans décoller de leur enfance. Sûrement que maman Dolto, la plus célèbre des pédiatres, devait y être pour quelque chose. Je reste persuadé que son fils était pour elle le plus indéchiffrable des enfants qu'elle ait eu à traiter. Comme les cordonniers les plus mal chaussés, les marchands de bonheur sont rarement les plus heureux. Je le savais bien, moi. Alors, parfois, je l'appelais à deux heures du matin juste pour lui dire que je l'aimais bien. Au nom de la sentence de sa maman, justement :

— *L'être humain qui crée sa solitude a besoin qu'on lui dise : oui, je t'aime malheureux.*

On se réconfortait mutuellement, alignant jusqu'aux aurores les poncifs des clowns tristes. Nous étions jumeaux de gaudriole et d'image publique de rigolos sous-évalués. Alors, on philosophait. On détaillait chaque contour de l'âme humaine. Chacun seul sur son oreiller humide. Avec une différence tout de même. J'avais des enfants, il n'en voulait pas. Sûrement pour ne pas entrer en compétition avec lui-même. Je me souviens d'une nuit où nous n'avons parlé que de ça. Je lui vantais les plaisirs de la paternité en lui affirmant que c'était le seul moyen de devenir immortel. Il restait sur ses positions. Non ! Un enfant, ça ne fait pas des enfants ! Et bien entendu, ça a fini par la pirouette obligatoire des « clowns-quoi-qu'il-en-soit ». Cette nuit-là, je lui ai demandé :

– *Imaginons que tu changes d'avis et que tu décides d'avoir un gosse, tu préférerais que ce soit un garçon ou une fille ?*

Il a remis son nez rouge et m'a lancé :

– *Pour le faire, je préfère une fille !*

UN CERCUEIL POUR RIRE

(*Un cercueil pour deux.*
Jean-Louis Fournier. 1993)

Un prolongement du minichapitre précédent. Puisque, justement, la première repartie de concours que je te propose a été prononcée à l'occasion de l'enterrement de Carlos. Je n'étais pas présent à l'église de Saint-Germain-des-Prés, ce triste jour de janvier 2008. Quelles que soient mes amitiés, je déteste les obsèques médiatiques. Celui qui m'a rapporté la réplique, c'est mon ami et ex-complice des *Années bonheur*, Fabien Lecœuvre. Le spécialiste hors catégorie des enterrements, oraisons funèbres et annonces de disparition imminente. Au point que lorsque je lui téléphone, ma première phrase est toujours la même :

— *C'est qui le prochain ?*

Ce jour-là, l'église était comble. Une satisfaction *post mortem* pour l'artiste disparu puisque le mot le plus important de notre métier de saltimbanque, c'est : « Complet ! » Le recueillement était unanime jusqu'au moment où une musique incongrue a crevé le silence : « La charge de la brigade légère » du film *Fort Alamo*. De la trompette d'alarme en pleine oraison, ça jurait ! C'était une sonnerie de portable.

Le seul suffisamment addict aux westerns pour avoir une telle sonnerie, c'était évidemment Eddy Mitchell. Immédiatement, les regards de tous ses plus proches voisins se sont tournés vers lui. C'était bien son téléphone. Et le problème, c'est qu'il avait beau fouiller ses poches, il n'arrivait pas à mettre la main dessus. Sa femme le houspillait tendrement pour qu'il stoppe l'appareil. Et ça a duré… duré… En fait, son imperméable avait une poche trouée, et le portable coupable avait glissé dans la doublure. Un beau moment de fou rire retenu pour tous. Avec, en arrière-pensée, l'idée que c'était la dernière blague posthume de notre pote Carlos.

La réplique de concours est arrivée après, sur le parvis, à la sortie du cercueil. Fabien avait rejoint un humoriste, grand sniper devant l'éternel, qui, du fond de l'église pendant la cérémonie, n'avait pas saisi les tenants et les aboutissants de l'intermède. Fabien s'empressa de lui désigner le coupable en expliquant tout jusqu'au détail de la doublure de l'imperméable. Le sniper, comme en hommage aux westerns si chers à monsieur Eddy, ne mit qu'une seconde à dégainer, armer la réplique et tirer, en lançant, faussement naïf :

— *La doublure d'Eddy Mitchell ? Ah, ce Dick Rivers ! Il faut toujours qu'il trouve un truc pour se faire remarquer !*

On reste dans la catégorie « enterrement ». Et après les stars, les anonymes. Deux veuves. Éplorées, selon la formule consacrée. Pour ce qui est de la première, l'adjectif était bien insuffisant. Il aurait fallu en inventer un autre. Tant son chagrin était incommensurable. Et il y avait de quoi. Vingt ans de fusion absolue avec son homme. Et au bout, un camion fou qui fracasse leur bonheur. Le destin, paraît-il. Ou Dieu. C'est lui que mon voisin d'église, le jour de l'enterrement, mettait le plus en cause. Comme si, du haut de son nuage, il avait eu un GPS pour diriger dans la mauvaise direction le camion assassin.

Il s'est penché vers moi et a chuchoté :

— *Quand je pense que Dieu laisse vivre des salauds et qu'il fait mourir ce mec si bon, si généreux, qui ne pensait qu'à faire le bien !*

Je n'ai pas pu m'empêcher de chuchoter à mon tour :

— *Peut-être que Dieu n'aime pas la concurrence !*

Au cimetière d'après, je me suis approché de la veuve. Son visage ruisselait. On a parlé sans qu'à aucun moment les larmes ne cessent de couler. Et paradoxalement, rien n'était triste dans ce qu'on disait. On a passé en revue toutes les qualités de son homme. Les bons moments. Elle m'a promis, sans que je lui pose la question, qu'elle ne le remplacerait jamais. Je savais qu'elle tiendrait cette promesse. Pourtant, j'en ai connu tant de ces veuves qui juraient d'être inconsolables et qui se sont allongées dans d'autres lits bien avant la fin du deuil. Ne crois surtout pas que je leur jette la pierre... tombale. Bien loin de là. Au contraire. Chacun soigne son chagrin comme il le peut. RIP, ça peut signifier aussi : Résister, Insister, Poursuivre. Chacun ses oublis. Et je ne me permettrais jamais de juger tel veuf ou telle veuve. Si joyeux soient-ils.

Celle-là, je pressentais qu'elle ne serait plus jamais joyeuse. Son homme était dans sa peau, dans son cœur pour l'éternité. Et mieux que ça. Pour certains, ce chagrin qui terrasse, il faut l'entretenir. Comme les fleurs sur la tombe. Parce que pour ceux-là, la moindre « remise de peine » sonne comme une trahison. Elle était de cette race-là. Sa phrase inoubliable me l'a confirmé. En essuyant une larme sur sa joue, j'ai tenté le réconfort optimiste :

— *T'en fais pas, ça va passer.*

Elle a souri, s'est redressée et m'a dit, déterminée et sincère, en me regardant profondément dans les yeux :

— *J'ai pas envie que ça passe !*

L'autre veuve était éplorée aussi. Détruite. C'était Laurence, une très proche. La femme d'un de mes amis les plus chers, Mick. Mort d'une rupture d'anévrisme en 2007. Mick était un mandoliniste de talent, fou des États-Unis. Toujours en jeans et santiags, il traversait la vie comme il aurait fait la route 66 en Cadillac. Sans se presser. Tranquille. Ce grand gosse était un soleil. Adulte, mais à l'affût de la moindre farce de gamin.

Blagueur, nonchalant. Il a travaillé pour moi pendant des années. Compagnon de tournées, fournisseur de blagues, partenaire de sketches.

C'est vrai que c'était tout sauf un grand bosseur. Le goût du moindre effort était une de ses motivations premières. Mais sa présence valait toutes les heures supplémentaires. C'est lui qui m'avait accompagné au plus près après le décès de mon fils. Le premier arrivé près de moi. Silencieux. Juste là. C'était exactement le réconfort qu'il me fallait. Muet, mais essentiel. Lui aussi, comme moi, pratiquait l'humour noir à haute dose. Il était hors de question, lors de son enterrement, de ne pas rendre hommage à son cynisme de tradition.

C'est ma si chère Marie-Louise qui a eu le bon mot. Elle était à l'époque la directrice de Magic TV, ma société de production. Celle qui salariait Mick. Elle connaissait mieux que quiconque la faiblesse du rapport qualité-prix de son travail. Mais sans s'en alarmer ni lui en tenir rigueur. On l'aimait quand même. Parce que c'était lui, parce que c'était nous. Parce que chez moi, l'indice de productivité ne prend jamais le pas sur l'indice d'affectivité. Tant pis pour mon compte en banque. Tant mieux pour mon compte en cœur.

On savait que Mick avait déteint sur Laurence, sa veuve. Elle aussi connaissait par cœur cet humour trash dans les pires occasions. Celui qui heurte les imbéciles, et qui réconforte les intelligents quel que soit le chagrin subi. Elle savait aussi que son bonhomme de mari n'était pas le plus stakhanoviste au boulot. Marie-Louise s'est approchée d'elle pour l'embrasser devant la tombe. Et elle lui a glissé dans l'oreille la phrase qu'il fallait. La phrase qui ne changeait rien à notre détresse commune, mais dont elle savait qu'elle la ferait sourire. Surtout parce qu'elle était le plus bel hommage à l'humour sauvage de notre Mick :

— *J'aurais préféré qu'il se tue au travail !*

LA VEUVE DE MON AMI

(*La Femme de mon pote.*
Bertrand Blier. 1983)

Allez, du léger et du coquin, maintenant. Pour l'alternance encore. Après la mort, la vie. Ou pour les psy férus de références antiques, un hommage à Éros et Thanatos, les inséparables. Je précise à l'intention de ceux dont la seule connaissance hellénique serait ce cher Nikos, qu'Éros et Thanatos sont respectivement les représentations grecques de l'amour et de la mort. Je vais même y ajouter, pour le fun, Rigolos, le dieu de la galéjade, évidemment… Si ça se trouve, il y en a qui vont le croire !

Ce minichapitre est aussi l'occasion de s'attarder sur celle dont la réplique a terminé le précédent : Marie-Louise. C'est la veuve de mon indispensable Olivier. Mon frère et demi dont je te parlerai longuement plus loin. Celle qui sait tout de moi, y compris ce que moi-même je ne sais pas. C'est elle, cette fois encore, qui conclura d'une repartie de concours ce minichapitre. Après avoir longuement dérivé, comme tu en as pris l'habitude maintenant, sur les circonstances qui vont mener à cette réplique.

Mais avant, une petite précision technique. Je t'ai confié au tout début que les phrases inoubliables que je te citerais seraient toutes susceptibles de composer des dialogues de film. En l'occurrence, celle qui va venir est devenue une réelle réplique de film. Elle est balancée par Alain Chabat dans *Gazon maudit*. Je ne sais pas quel a été le cheminement de cette réplique pour arriver dans le scénario, mais ce dont je suis certain, c'est de l'endroit de sa création et du nom de son auteur véritable. C'est Olivier. La phrase en question est une de ses saillies spontanées dont il était un roi indétrônable. Elle a jailli au cours d'un des premiers dîners en amoureux avec sa future femme, ma si chère Marie-Louise.

Marie-Louise est aujourd'hui pour moi tout aussi indispensable que l'était Olivier, depuis qu'un accident de voiture l'a volé à notre amour le 19 mai 1993 sur la RN20 qui nous en a pris tant. Parenthèse : dis, tu as vu comme c'est tombé autour de moi ? Un fils, un frère et demi. Et je ne t'ai pas encore parlé de l'absence des autres. Mère, père de substitution, meilleurs amis. Les essentiels envolés. Ce n'est pas le temps qui passe qui me blesse le plus. C'est le manque de ceux qui me serraient dans leurs bras et que je ne peux plus serrer dans les miens. Comme toi. Comme nous tous. Et ces regrets, parfois, de ne pas assez leur avoir assez montré à quel point on tenait à eux. Bien sûr que tu la connais, toi aussi, cette culpabilité en sourdine des mots qu'on n'a pas osé prononcer ou qu'on a oublié de dire. Alors, garde dans un coin de ton cœur la phrase inoubliable du grand Dard :

— *Si j'avais su que je l'aimais autant, je l'aurais aimé davantage !*

C'est Marie-Louise qui, professionnellement, a remplacé Olivier auprès de moi. Essentielle. Comme lui. Et entière comme lui. Autant dans sa dévotion que dans les fulgurances intraitables. Les mots cinglants et drôles. C'est fou comme le mimétisme humoristique peut rapprocher deux êtres qui s'aiment. J'ai connu Marie-Louise réservée, presque timide. Et puis, au fur et à mesure de leur union, je l'ai vue s'habiller de cette ironie qui était l'arme de dérision favorite d'Olivier. Au point qu'aujourd'hui, je l'entends parfois dézinguer à tout va d'une manière aussi crue que le faisait mon pote snipper de haut vol.

Et leur fille, Marie-Frontine, n'est pas en reste. Digne héritière, je me demande même si elle ne surpasse pas ses glorieux parents dans la vanne de concours. Acide, espiègle, tonitruante et si tendre à la fois. Il faut bien. La gifle à Thanatos. Dans l'accident de voiture qui a tué son père, elle avait neuf ans et elle était à l'arrière du véhicule. Sale karma ! Je l'aime intensément.

Depuis quelque temps, elle travaille aussi avec moi. C'est un rayon de soleil permanent. Dès qu'elle pointe son nez dans les environs, on bronze du dedans ! Et question réplique, c'est du lourd. Comme à l'occasion d'une émission des *Années bonheur* sur laquelle elle était assistante. Devant nous se déchaînait un chanteur gitan. Un très bon. Mais son nouveau titre en promo n'était pas très emballant. Mais tu me connais. Indulgent, bienveillant. J'ai glissé à Marie-Frontine :

— *Bon, c'est moins bien que le reste. Mais ça va marcher quand même.*

La réplique a fusé :

— *Moi, je crois pas ! À mon avis, faut qu'il retourne voler du cuivre !*

J'ai rigolé, et comme je la connais bien, j'ai ajouté :

— *Ne va surtout pas le lui dire !*

Et, évidemment, en se précipitant vers la coulisse, elle m'a lancé tout sourire :

— *J'vais m'gêner !*

Elle le lui a dit. Et ça l'a fait rire. Ils ont même fini avec un concert de guitare improvisé en son honneur. Je persiste et je signe : j'aime intensément cette gamine. Et puis ça fait un dieu grec de plus, que nous avons en commun : « Déconnos » !

Mais revenons à Éros et Rigolos. On va même y ajouter Portos. Parce qu'il était portugais, le marchand de fleurs ambulant à la terrasse du restaurant où Marie-Louise et Olivier dînaient en amoureux ce soir-là. Marie-Frontine n'était même pas une lueur dans leurs yeux.

C'était le tout début de la belle histoire. Et là, pas de grossièretés. Du beau, du tendre. Tout ce qu'Olivier savait être quand ça en valait la peine. Parce qu'il me l'a avoué plus tard, c'est au soir du premier tête-à-tête qu'il a su que cette femme était celle de sa vie. Et moi qui n'ai pas quitté Marie-Louise du cœur depuis la disparition de mon ami, je peux te dire que c'est sa femme bien au-delà de sa vie.

L'ambiance était donc aux mots doux, aux délicatesses. Jusqu'à une intrusion étrangère qui a réveillé en Olivier le sniper trivial qu'il avait pourtant décidé ce soir-là de ne pas inviter à sa table. La scène est reproduite pratiquement à l'identique dans *Gazon maudit*. Le marchand de fleurs s'est approché d'Olivier pour tenter de lui vendre, en cette soirée de Saint-Valentin, le bouquet obligatoire à offrir à sa belle.

Et la réplique a jailli :

— *C'est pas la peine, on a déjà baisé !*

Trivial et magnifique. Comme dans le film. À cette nuance près que c'était faux. Ça n'allait certes pas tarder, mais ils n'avaient pas encore copulé. Et il y a une suite à cette phrase. La vraie réplique inoubliable. Celle qui n'était pas arrivée jusqu'au stylo du dialoguiste de *Gazon maudit*. Le bouche-à-oreille ne lui avait rapporté que la première partie de l'entretien avec le marchand. La deuxième partie fit monter la qualité de la repartie d'un cran. Elle sortit de la bouche de Marie-Louise. Tout ça parce que le vendeur éconduit eut l'à-propos commercial de se retourner vers elle en suggérant :

— *Puisque votre monsieur ne veut pas vous offrir de fleurs, peut-être que vous, vous pouvez lui en offrir ?*

Le tac au tac est parti dans un grand sourire :

— *Ben, non ! Il m'a ratée !*

LA LIGNE JAUNE

(*La Ligne verte*. 1999. Frank Darabont)

La limite de la conscience humaniste. Celle que toute dignité ne devrait jamais dépasser. Et pour débuter ce chapitre, une entorse à ma promesse de ne te rapporter que des phrases inédites. Mais, comme on dit chez L'Oréal : ça le vaut bien ! C'est un classique. La repartie d'un génie de la peinture : Pablo Picasso. Le massacre abominable de Guernica par les nazis sur la population de cette ville espagnole pendant la guerre lui avait inspiré un tableau de légende. De longues années plus tard, un Allemand, en contemplant cette œuvre, avait demandé au peintre :

– *C'est vous qui avez fait ça ?*

Picasso avait répondu :

– *Non, c'est vous !*

C'était juste pour introduire ce minichapitre consacré à de multiples phrases inoubliables inspirées d'une abomination. Des phrases que, cette fois, j'ai moi-même entendues, hélas ! Des phrases qui, à l'instar de Picasso à l'occasion de Guernica, peignent le plus laid de la nature humaine. En commençant avec un peintre en sourire. Un impressionniste de la bonne humeur : Paul Préboist.

Mon vieux complice était bien plus qu'un clown ordinaire au sourire chevalin. Alors, bien sûr, la farce facile avait rangé l'acteur dans la catégorie des seconds rôles futiles. Étiqueté « primaire » par le jugement de ceux qui ne voient pas plus loin que le bout de nos nez rouges. Mais l'homme était bien plus que ça. C'était un lunaire, un véritable érudit, un philosophe d'une lucidité étonnante qui concluait souvent ses phrases par cette sentence sans appel :

— *Saleté de gens !*

J'ai cru comprendre que le déclencheur de ce dégoût venait des stigmates de la dernière guerre. Sans doute à cause d'une femme très proche de lui qui avait été tondue à la Libération pour avoir couché avec un Allemand. Une humiliation qui ne se résumait certainement pas pour ceux qui l'infligeaient à une punition légitime. Il y avait du machisme, du sexisme, une pure vengeance moraliste. Une infecte cruauté qui en dédouanait beaucoup de leurs propres faiblesses. Paul m'avait dit :

— *C'était des lâches qui coupaient les cheveux des maîtresses pour se rattraper de ne pas avoir eu le courage de couper les couilles de leurs amants !*

Pour en rester à cette période-là, je te propose une autre phrase inoubliable que j'ai entendue il y a peu. Elle a la particularité, quand je la rapporte à des amis, de susciter soit un sourire d'approbation, soit une virulente indignation. Jouissive pour Dieudonné et Alain Soral, et dégueulasse pour Arno Klarsfeld ou Bernard-Henri Lévy. Et pour moi ? Les deux. Habile sur la forme et détestable sur le fond.

C'est la confidence intime d'un artiste avec lequel je dissertais de l'antisémitisme. Sincère, il a commencé son argumentaire par une compassion réelle. Pour lui, la Shoah était un crime abominable, inacceptable et impardonnable. Comment pouvait-on affubler des enfants d'une étoile jaune pour les conduire ensuite à l'extermination ? Son dégoût était plus que sincère.

Il m'avait même dit :

– *Si ça devait se reproduire, je prendrais une arme pour descendre dans la rue, et je serais prêt à sacrifier ma vie pour éviter ça...*

Et il a ajouté :

– *Mais c'est pas une raison pour me vendre mon pantalon quatre fois le prix !*

Et toi ? Ça te fait sourire ? Ça t'indigne ? Je te laisse avec ta conscience.

Tu comprends bien qu'à l'heure où les réseaux sociaux se déchaînent au moindre dérapage, je ne peux pas te citer le nom de l'auteur de cette phrase. Pas plus que le nom de la star qui a prononcé la phrase qui va suivre. Une légende. Un intouchable. Un monument de la chanson française. Une nuit de quelques verres de trop avec moi, la conversation avait glissé sur la racaille. Celle des quartiers nord de Paris dont il déplorait que certains soient devenus des zones de non-droit. Si loin des ruelles tranquilles qu'il dévalait, gamin.

Il m'a bredouillé :

— *Je peux pas le dire parce qu'ils achètent mes disques, mais moi, Barbès, je finirais ça au lance-flammes.*

Et quelques semaines plus tard, je le voyais parader à la télé, la main dans la main avec des rappeurs à la mode. Promo oblige. Avec le discours obligatoire de mixité bienveillante. La péroraison antiraciste indispensable pour ne surtout pas s'amputer d'une grande partie de la classe acheteuse. Le prix à payer pour avoir un disque d'or.

Mais cela rachète-t-il une conscience de plomb ?

Puisqu'on a fait un léger détour par la télé, restons-y. Avec une conversation volée au carrefour de deux couloirs d'une chaîne majeure. Entre une directrice de programme névrosée et un producteur inquiet. C'est la directrice qui questionne :

— *Il a fait combien Marc Dutroux ?*

— *Je ne sais pas exactement. Quinze ans déjà.*

— *Je ne te parle pas de prison, je te parle d'audimat.*

— *Ah ! Dix de part de marché seulement.*

— *Ça m'étonne pas. C'est nul. Faut arrêter avec les petites filles assassinées. C'est trop anxiogène. Les gens font un transfert sur leurs mômes. Fais-moi un truc sur l'inceste. Le cul, ça intéresse toujours, et au moins la gamine n'en meurt pas !*

Et pour en finir avec le nauséabond, une abomination de couple. Elle concerne une ex-star de la télé-réalité qui venait de se faire faire un enfant otage par un entrepreneur naïf et très riche. Elle paradait dans un restaurant à la mode de la rue du Faubourg-Saint-Honoré, à une table voisine de la mienne. Défoncée et parlant fort. Sans aucune pudeur ni précaution, elle ne cachait pas que la seule motivation de sa grossesse était un retour sur investissement. Un des convives lui a quand même fait remarquer qu'il s'agissait du destin d'une petite fille. Et qu'il ne fallait pas jouer avec ça. Qu'elle avait une responsabilité. La réponse a été cinglante :

— *La môme, je m'en fous ! De toute façon, j'ai pas le temps de l'élever.*

Et elle a ajouté, pour mettre le père à égalité de culpabilité :

— *Quand on l'a faite, il pensait qu'à mon cul et moi qu'à son fric. Match nul !*

Je l'ai croisée une demi-heure plus tard dans l'escalier qui remontait des toilettes. Elle venait de se faire sa énième ligne de coke.

Je l'ai giflée.

J'ai eu tort ?

LES MARIS, LES FEMMES, LES AMANTS, LES MAÎTRESSES

(*Les Maris, les femmes, les amants.*
Pascal Thomas. 1989)

Après l'immonde, le futile. Le léger. Encore et toujours pour l'alternance. Pour passer du plus infâme des relations amoureuses au plus festif : le vaudeville. Avec sa quadrature officielle : le mari, la femme, l'amant, la maîtresse. Et d'abord, la phrase que mon ami Dany Boon m'a donné la permission de rapporter. Il y a prescription. C'était il y a bien longtemps. Le garçon était jeune et amoureux. Au point de renoncer à l'hôtel local, après un spectacle au fin fond de la France. Juste pour le plaisir de rentrer à Paris. En roulant toute la nuit afin de faire la surprise à sa belle de venir l'embrasser au réveil. Itinéraire bises ! Bouquet de fleurs et viennoiseries en sus. Si ça c'est pas de l'amour !

Imagine ton « ch'ti » préféré entrebâillant, tout énamouré, la porte de la chambre, un sac de croissants à la main. Il m'a confié avoir compris immédiatement que la jambe poilue qui dépassait du lit ne pouvait en aucun cas appartenir à l'élue de son cœur. Sa belle au bois dormait en compagnie d'un autre prince charmant. Insultes ? Bagarre ? Provocation en duel ? Que nenni ! Une phrase seulement. Le sens de l'humour à défaut du sens de l'amour.

— *Je crois qu'il n'y aura pas assez de croissants pour tout le monde !*

Pour poursuivre dans la tragi-comédie à la Feydeau, on reste dans le débarquement à l'improviste, mais on change les rôles. Dans celui de l'infidèle, cette fois, le mari. Un vieil ami pris la main dans le string, lui aussi, au petit matin. Bon, les brumes de la soirée arrosée de la veille doivent sûrement y être pour quelque chose, mais tout de même. Quelle vista ! Quelle audace ! Et surtout quel magnifique réflexe de sauvegarde pour le coupable pris en faute. Sans aucune possibilité apparente de nier. Le plus flagrant des lits ! Quand l'épouse bafouée s'est avancée, menaçante, avec un cendrier à la main pour lâcher sa colère sur l'infidèle, il a arrêté son geste avec certainement la phrase la plus surréaliste qu'on puisse lancer en cette circonstance :

— *Ne te fie pas aux apparences, chérie ! C'est pas moi, c'est mon sosie !*

C'est l'épouse qui m'a raconté l'histoire. Avec un mélange d'indignation légitime et quand même une pointe d'admiration pour l'à-propos de son volage de mari. L'éhonté peut parfois atténuer la culpabilité. Où vont se nicher les circonstances atténuantes ? Petit conseil tout de même.

Ne prends pas cette clémence comme une éventuelle porte de sortie au cas où. Pas sûr qu'une bonne repartie te sorte systématiquement d'un mauvais faux pas. Je n'encourage pas, je rapporte.

Petit détail supplémentaire. C'est cadeau ! Comme ce couple de bonne famille vivait dans un château, l'épouse offensée a adapté la punition du mari adultère au lieu et à la circonstance. Elle a décidé que le châtiment s'accommoderait du décor. Elle aurait pu le renier, divorcer, le punir de mille façons. Elle a choisi une sanction à la hauteur à la fois du délit et de la réplique de concours. Elle l'a enfermé dans le donjon pendant un mois ! En justifiant qu'à lui, elle n'aurait pas pu faire ça, mais à son sosie, oui ! Une sentence exemplaire pour un bon mot qui ne l'était pas moins.

Une autre réplique de choix certifiée authentique. C'est le mari trompé, un vieil ami, qui me l'a rapportée. Pas besoin de te détailler la scène, maintenant tu la connais. Le mari rentre à l'improviste et trouve sa femme allongée avec son amant. Précision importante, la femme était d'un âge avancé et l'amant en pleine force de l'âge. Une « cougar », comme on dit de nos jours. Comme l'expression n'existait pas dans les années quatre-vingt-dix, à l'époque du délit, disons : une vieille dame de la bonne société qui s'était payé un gigolo. Autre précision, mon ami était plutôt frêle alors que celui qui venait d'honorer sa femme arborait une musculature impressionnante.

C'est le genre de situation où, pour un homme intelligent, la prudence prend forcément le pas sur les voies de fait. On ne va quand même pas se faire casser la gueule en plus de se faire piétiner l'honneur ! Surtout dans une bourgeoisie de province où le moindre scandale peut mettre à mal la notabilité. Le mari se contenta de demander à l'intrus de se rhabiller et de filer au plus vite. Pendant que le gigolo enfilait un à un ses habits, la fautive argumenta que l'amant occasionnel s'appelait Franky et que c'était un professionnel. Une sorte de « location érotique » dont la portée ne dépassait pas un horaire tarifé sans le moindre sentiment.

Elle justifia sa petite folie passagère par le fait que mon ami la délaissait physiquement depuis trop longtemps. Et, avec une habileté bien féminine, elle retourna la situation, en arguant du fait qu'elle savait très bien que lui ne se gênait pas pour aller voir des prostituées. Ce qu'il nia bien sûr, mais en sachant pertinemment que c'était vrai. Donc, match nul en quelque sorte. Il y eut cependant une prolongation orale délicieuse. Le mari, qui voulait quand même sauver la face, lâcha :

– *Quoi qu'il en soit, tu vas me le payer !*

La réplique fut magistrale :

– *Je veux bien, mais il faut que je lui demande…*

Et en s'adressant au gigolo de service sur le point de partir, elle lança :

– *… Vous me prendriez combien pour faire l'amour avec mon mari ?*

La dernière réplique de ce minichapitre coquin, je la tiens d'un artiste dont, là aussi, je veux protéger l'anonymat. Allez, je te donne quand même quelques indices. C'était au début des années quatre-vingt. Il faisait des imitations, de la télévision, et plus tard, il chantera « Le petit bonhomme en mousse ». Je sais bien que ce n'est pas suffisant pour dévoiler son identité, mais c'est une question d'honneur. Que l'infamie ne s'abatte pas sur lui pour un égarement de passage ! Non, mais !

Quand il se remémore l'incident, ce goujat a toujours une pointe de frustration. Un véritable regret. Non de s'être fait prendre. Mais juste qu'au moment où son épouse a fait irruption sur le champ de bataille, les « hostilités » avaient à peine commencé. Quoi de plus frustrant que de voler des bonbons et de se les faire reprendre avant d'avoir pu savourer la douceur d'un seul ?

En fait de champ de bataille, c'était sa voiture garée dans une rue de Paris à trois heures du matin. L'épouse espionne l'avait pisté à la sortie d'un restaurant d'amis. Sa partenaire d'un moment avait dégrafé son pantalon et s'apprêtait à lui démontrer son attachement passager par un attouchement buccal dont il paraissait d'après la rumeur qu'elle était orfèvre en la matière. Dieu qu'en termes élégants, ces choses-là sont dites ! Ou, si tu préfères, que de précautions oratoires ampoulées pour une pipe ordinaire.

L'épouse a ouvert violemment la portière. Réflexe typiquement féminin ? Au lieu d'incendier le mari, elle a tout de suite voulu connaître l'identité de celle dont les cheveux de la nuque encore penchée sur l'objet du délit cachaient le visage. Elle a hurlé :

– *C'est qui ?*

Et c'est la jeune fille qui a répondu :

– *Je crois que c'est ton mari !*

FRANÇOIS PREMIER EX AEQUO

(*François Ier*. Christian-Jaque. 1937.)

Allez, on quitte provisoirement les histoires d'alcôves. Même si l'auteur de la phrase inoubliable qui conclura ce minichapitre en aurait mérité un entier dans ce domaine : François Hollande. Le deuxième François président après Tonton Mitterrand. François premier ex aequo, donc. Tu te souviens, celui qui attirait la pluie et les paparazzis quand il partait convoler en scooter. Une légende du septième art. « Fanfan la turlute », comme le surnommaient les cinéphiles. Bon d'accord, c'est un peu trivial et réducteur comme bilan présidentiel, mais j'écris pour un livre de détente, pas pour *Valeurs actuelles*... Mais revenons à la politique.

Il y a une quinzaine d'années, il était président du conseil général de Corrèze et moi président du club de rugby de Brive. Un voisinage de travées, un repas d'officiels ensuite, et des mots échangés. Des plaisanteries, des idées de fond, un idéal de société plus juste partagé.

J'ai tout de suite été séduit par l'intelligence humaniste et l'humour de cet homme.

En rentrant chez moi, j'ai dit à Nana, ma femme :

— *Un jour, ce type sera président de la République !*

Visionnaire. Et bien évidemment totalement irréaliste pour Nana, qui m'avait ri au nez. Comme tous ceux d'ailleurs à qui, par la suite, je délivrerai avec certitude ce pronostic élyséen. D'accord, les circonstances imprévues ont adoubé ma prédiction, mais ne va toutefois pas croire que j'aurais fait des pieds et surtout des mains aux fesses pour que l'avenir me donne raison. Je te jure sur l'honneur que je ne connais personne au Sofitel de New York. Et que je ne suis pour rien dans le fait que (comme le dit mon ami Moscato) Strauss Khan se soit tapé Bastaraud !

Quoi qu'il en soit, François a été élu et nous avons conservé des liens amicaux. Le plus souvent sous forme de SMS dont je conserve jalousement les plus marquants. Les terribles, d'abord. Comme ceux de la nuit rouge du 13 novembre après l'attentat du Bataclan. Et, pour lui, cette culpabilité larvée et stridente de n'être pas responsable, certes, mais d'être le capitaine du bateau attaqué par les pirates. Des mots de dégoût et de compassion extrêmes. Et puis les fulgurances les plus drôles, bien entendu. Tant il est bien connu que ce président-là est sans doute celui qui dépasse de loin tous les autres en humour sur les autres et sur lui-même. Cet humour qui est, de plus, souvent marqué du sceau d'une lucidité jouissive. Ça a été le cas, en particulier quand, un jour de confidences, il m'a résumé ainsi la fonction présidentielle :

– Dans un restaurant, quand un client est mécontent, il dit : « Appelez-moi le patron ! » Moi, j'en ai soixante millions qui, tous les matins, disent : « Appelez-moi le patron ! »

Grand spécialiste du « tac au tac », il aurait de quoi piquer la place de Baffie chez Ardisson. Et qui sait s'il ne réussirait pas mieux sur l'écran qu'en politique ? Et si on pousse le troc de fonctions jusqu'à l'irréel, pas sûr que mon bon Laurent aurait été moins convaincant en président de la République. Il en a toutes les qualités : intelligent, vif, charismatique. Compétent pour faire le bonheur du peuple ? Quelle importance ? Ça fait des siècles que les gens sont assez stupides pour voter pour un homme au lieu de voter pour eux-mêmes. Mais c'est un autre débat. On enchaîne.

Sachant que je partageais avec notre bon François le sens de la blague, j'avoue que je me suis appliqué chaque fois que je l'ai pu à mettre un peu de sel gai dans nos relations. Quelques pincées de bonne humeur. Voire d'audace, tant je connaissais son sens de l'autodérision. Ce fut le cas ce jour d'été où je lui ai rendu visite au fort de Brégançon pour un dîner d'amis avec Nana, ma femme, et Valérie, sa compagne de l'époque.

Allez, c'est tellement facile, mais j'ose quand même :

— *Merci pour ce moment !*

C'est vrai que le repas a été très agréable. Et surtout, cette visite m'avait donné l'occasion d'une petite blague d'introduction dont j'avoue que mon côté clown provocateur est assez fier. J'avais lu dans un hebdomadaire que la résidence d'été des présidents ne possédait pas de piscine. Je suis donc arrivé avec un cadeau. Une piscine en plastique à deux balles que Nana avait achetée la veille au supermarché du coin. « Carouf » pour être précis et pour faire jeun's.

J'ai accompagné l'offrande de la phrase adéquate :

— *C'est pas le yacht de Bolloré, mais comme j'ai affaire à un président normal, c'était la moindre des choses !*

Évidemment, le remerciement a été à la hauteur de l'incongruité du cadeau.

— *Merci ! Je vais la remplir d'eau claire, ça me changera des eaux troubles de la politique. Et là, au moins, je serai sûr d'avoir pied partout !*

Comme je le laissais entendre plus haut, la plupart des répliques humoristiques que je conserve de François premier ex aequo sont des SMS. Bien entendu, il est hors de question que je te révèle ici les plus intimes et surtout les plus politiquement incorrects. Mais pour te donner une idée, je peux quand même te citer celui que j'ai reçu à l'occasion du débat des primaires de droite dans lequel s'affrontaient Juppé et Fillon. Un pronostic gastronomique pour le moins visionnaire. Il présageait que ni l'un ni l'autre n'aurait l'occasion de poser sur le gâteau de leur carrière la cerise de la fonction suprême :

— *Le vieux Bordeaux est un peu bouchonné et le Sarthois veut nous mettre à la diète. Pas de quoi réveillonner !*

Allez, pour terminer, ma repartie préférée ! La plus significative de l'humour instantané et du sens de la réplique de notre bon « Flanby ». Celle qu'il m'a envoyée à l'occasion de la visite du président chinois à Paris. Parenthèse : « Flanby » est un surnom pour moi totalement inapproprié tant la mollesse de ce dessert est antinomique avec la vivacité d'esprit de notre ex-président. La preuve : Paris était, ce jour-là, très embouteillé à cause des délégations officielles.

L'adage dit :

— *Avec des « si » on mettrait Paris en bouteille.*

Pas besoin de « si ». À cette occasion, il y était déjà. Mais pas un grand cru millésimé. Une piquette qui sentait le bouchon. Le très gros bouchon. J'étais bloqué depuis une heure au goulot d'étranglement de la place de la Concorde. Je pensais au film de Jean Yanne *Les Chinois à Paris*. Bon, d'accord, ils ne venaient pas nous faire la guerre, mais c'était un beau bordel. Je fulminais dans ma voiture en haïssant ce protocole paralysant.

J'ai envoyé ce message :

— *François, ton président chinois commence à nous casser les couilles !*

La réponse a fusé dans les secondes qui ont suivi :

— *Oui, mais il va nous les faire en or !*

L'ENQUÊTE SE CORSE

(*L'Enquête corse.* Alain Berberian. 2004)

Un autre François. Marcantoni. Une légende du grand banditisme. Ancien résistant, il était un des parrains de la pègre d'après-guerre. Un dinosaure de la grande époque. Celle qui se projette encore en noir et blanc, tard sur les chaînes du câble, dans les vieux Ventura et les vieux Gabin. Avec leurs manières machistes et leur argot démodé. Quoique ! Dans le langage branché des ados d'aujourd'hui, ils appellent leur père : « le daron ». Tu parles d'une nouveauté ! Le vocable date des années cinquante. Allez, on s'arrête à mi-chemin.

En 1968, le nom de Marcantoni fut mêlé au fait divers le plus retentissant de l'époque. Du pain béni pour *Faites entrer l'accusé*. À en faire exploser de joie les coutures du manteau de cuir de Christophe Hondelatte ! Je résume. On retrouve le corps d'un Yougoslave, assassiné : Stevan Markovic. Ce beau garçon logeait chez Alain Delon, dont il était l'homme à tout faire. Garde du corps, chauffeur, confident. Marcantoni fut soupçonné d'avoir organisé l'assassinat prétendument commandité par Delon. La rumeur faisait courir le bruit que le mobile du contrat était une relation amoureuse de Stevan avec l'épouse du moment d'Alain, Nathalie, donc une trahison.

S'y ajouteront la politique et la brigade des mœurs avec des calomnies sur la présence dans des soirées libertines, chez Alain Delon, de Claude Pompidou, épouse du futur président de la République. Des montages photos, qui, le temps qu'on dévoile la supercherie, sèmeront un énorme trouble au plus haut sommet de l'État. Avec les traces indélébiles de doute que tu connais bien, au nom de la sentence éternelle : « Il n'y a pas de fumée sans feu ! » Putain d'âme humaine ! Si BFM avait existé à l'époque, on en prenait pour des années de non-stop à en faire exploser tous les Audimat ! Sexe, célébrité, argent, gloire, meurtre, justice, tout y était. Un feuilleton qui durera sept ans et se terminera par un non-lieu en 1976.

Sans entrer dans les détails, j'ai toujours eu une certaine sympathie pour les voyous d'avant. Les prétendus « bandits d'honneur » dont même la police aujourd'hui regrette qu'ils aient en partie disparu. Ces « messieurs les hommes » si chers à ma nostalgie. Sans doute parce que Maman aussi les aimait beaucoup. Pas pour le goût de la délinquance. Tout simplement parce que quand elle allait faire des ménages chez les notables, on lui passait la main aux fesses. Et les voyous ne lui ont jamais passé la main aux fesses. C'était des hors-la-loi, certes, mais attachés à un certain respect. Surtout celui de la parole donnée. Costars de luxe, pompes de marque, flingue de poche et gouaille à la Audiard. Pas des anges, bien sûr. L'auréole, ça ne va pas avec le chapeau feutre ! Des sévères, des cruels, mais avec des largesses de seigneurs.

J'en ai fréquenté. J'en fréquente encore. J'y reviendrai dans le minichapitre suivant. Attention, je ne me mélange pas. Je sympathise seulement. Je ne fusionne pas, je coopte. Ils m'aiment bien. Certainement parce que si la vie ne m'avait pas envoyé sur les planches, j'aurais pu glisser dans leur monde. Le 9 mm, la violence et l'inconscience en moins, je partage beaucoup de ces valeurs, désuètes aujourd'hui, qui ont forgé leur légende.

J'ai eu l'occasion de dîner avec François Marcantoni quelques mois avant sa mort en 2010. Le restaurant était corse. L'ambiance aussi. Amicale, chaleureuse, fraternelle. Entre deux guitares, on a même invité à table le « petit moineau » de la chanson corse « Le prisonnier » que je connais par cœur. François en avait les larmes aux yeux. Le vieux monsieur au feutre noir m'aimait bien. Il m'a raconté sa guerre dans la Résistance, et puis le reste... enfin presque tout le reste. Nos amis communs, la « belle époque ». Comme de vieux collégiens se rappellent la craie dans l'encrier, la plume Sergent-Major et l'odeur d'amande du pot de colle. Nous, c'était les clandés de Marseille, les bars de Pigalle, les braquages à l'ancienne, la parole d'honneur. La vieille école, quoi !

Attention, je n'idéalise pas, je nostalgise seulement. Ces bandits-là étaient tout sauf des enfants de chœur. Le juge Michel n'est pas mort d'une insolation ! Mais la voyoucratie était organisée, structurée. Ça laissait moins de place à la sauvagerie gratuite. À la guerre de la came qui flingue à tout va. Aux mômes embrigadés qui dézinguent du passant, comme ça, pour le fun. Aux insolents aux narines pleines capables de dessouder de la grand-mère pour une escalope dans le cabas. Petits cons ! Encore une fois, je ne cautionne pas la délinquance d'avant en regard de la sauvagerie d'aujourd'hui, je constate, c'est tout.

J'ai continué le repas avec François en lui parlant de sa belle Corse. Je l'ai fait sourire en lui rapportant ce que j'avais entendu quelques semaines plus tôt au journal de TF1. Il y avait eu un reportage à la suite d'une « nuit bleue ». Une succession d'explosions dans lesquelles quelques villas de métropolitains avaient été touchées. Le journaliste envoyé sur place avait posé des questions à deux vieux corses assis à la terrasse d'un petit bistrot de l'arrière-pays. Il voulait savoir ce qui, à leur avis, était à l'origine de tout ça. Un règlement de comptes ? Un avertissement indépendantiste ?

Le plus malin des deux avait eu un sourire malicieux. Il avait balayé d'un revers de main toute action terroriste, ramenant le phénomène au simple accident domestique. Avec un aplomb phénoménal, il avait lâché avec un accent cent pour cent île de Beauté :

— *Ah, ces touristes ! Depuis le temps qu'on leur dit d'éteindre le gaz avant de sortir !*

Et puis j'ai évoqué mes relations avec le plus célèbre des Corses après Napoléon : Tino Rossi. J'avais eu la chance de croiser souvent la légende des années cinquante. J'avais même fait un duo avec lui pour une émission de télé. L'occasion de raconter à François un petit incident de tournage qui en disait long sur la nonchalance du personnage. Une petite histoire savoureuse qui adoubait l'idée reçue selon laquelle les Corses étaient partisans du moindre effort.

C'était pendant l'enregistrement d'une émission de fin d'année dans laquelle, bien entendu, on avait eu droit à l'inévitable « Petit papa Noël ». Le premier détail amusant, c'est que Tino avait demandé qu'on lui fournisse ce qu'on appelle un « nègre ». Une grande feuille sur laquelle étaient écrites les paroles de la chanson. Des paroles que la France entière connaissait par cœur, mais dont l'interprète incontournable n'était pas sûr de se souvenir ! Magie de Noël !

Le deuxième détail, c'est une injonction du réalisateur à un mouvement tout simple. Tino chantait immobile face à la caméra 1. On savait que son jeu de scène s'arrêtait à ça. Il était hors de question qu'il se déplace d'un centimètre. Pour donner quand même un peu de vie à la séquence, le réalisateur lui demanda de juste tourner la tête vers la caméra 2. La réponse reste dans les annales de la télévision de papa. Tino se vexa et, avant de quitter le plateau pour ne plus y revenir, lança :

– *Alors, s'il faut faire de la gymnastique !*

Et la soirée avec François s'est poursuivie entre souvenirs, sourires et confidences inavouables ici. Omerta oblige. Je n'ai quand même pas pu m'empêcher, à la fin du repas, d'évoquer l'affaire Markovic. Oh, bien sûr, je ne m'attendais pas à des aveux. Mais peut-être un clignement d'œil, un rictus, un mot qui aurait pu me dévoiler une part de vérité. Il y a juste eu un sourire. Énigmatique et malin. Et puis « la phrase inoubliable ».

Quand il l'a prononcée, mon imaginaire a entendu la voix de Gabin :

— *Tu sais, petit, dans cette histoire, il n'y a que deux personnes qui connaissent la vérité : moi et Dieu… Et Dieu, il balancera pas !*

MON TONTON FLINGUEUR

(*Les Tontons flingueurs.*
Georges Lautner. 1963)

Encore des bandits d'honneur. Anonymes, ceux-là. Les vieux amis que j'évoquais précédemment. Avec lesquels je partage de temps en temps ma nostalgie et les plus intimes de mes ressentis. À la recherche du conseil, du recadrage. Pour que mon voyage sur « Air Existence » ne se crashe pas en vol. Pour que je ne prenne pas mes paillettes pour des balises d'atterrissage sur une fausse piste. Trop loin de la vraie vie. Bon, d'accord, ces gens-là sont des fréquentations incorrectes. Voire amorales. Mais leur morale n'est pas forcément condamnable. Elle est différente. Un vieil ami gitan braqueur de banques m'avait dit :

– *Quand tu vois le coût des agios, ça t'enlève le scrupule ! Voler des voleurs, c'est pas voler !*

Comme tu peux t'en apercevoir, cet ami, outre le sens du chalumeau, avait aussi le sens de la formule. Il nous arrivait de passer de longues heures à philosopher sur le sens de la légalité. Sur la légitimité de la propriété. Le vol était pour lui une juste restitution des choses. Une théorie appuyée par une phrase qu'il m'avait balancée au moins dix fois tant il était fier de l'avoir inventée :

– *L'argent, c'est fait pour faire rêver les pauvres. Les riches, ils s'en foutent, ils en ont déjà !*

Très discutable, mais essentielle pour lui afin de coller à ses exactions un petit arrière-goût de Robin des bois. Toutes proportions gardées, car le filou ne dérobait pas aux riches pour donner aux pauvres, mais d'abord pour se donner à lui. Ce que je n'hésitais pas à le lui faire remarquer en toute amitié :

– *Ce qu'il y a de bien quand on s'achète sa bonne conscience, c'est qu'on en fixe soi-même le prix !*

Alors, encore des phrases inoubliables de marginaux. Gratuites. Cadeau de la maison… d'arrêt ! Celles qui vont suivre, je les tiens de la bouche de « M ». Celui que j'appelle tendrement dans l'intimité « mon tonton flingueur ». Une majuscule seulement en guise d'identité. Pour l'anonymat bien sûr. Et puis parce que phonétiquement, ce vieux de la vieille m'« M » autant que je l'« M ». « M », c'est du lourd, un vrai costaud. Quatre-vingts heures de garde à vue ne lui feront jamais décrocher le mot qu'il ne veut pas prononcer. Avec moi, ce sont des nuits entières d'aveux, de confessions mutuelles. C'est le mot. « M », c'est mon confessionnal. Bon, d'accord, nos églises sont des bars de nuit, et les grenouilles de bénitier ont les cuisses gainées de bas résille, mais chacun sa religion.

Cent fois je lui ai étalé mon mal-être dans le milieu des médias peuplé de fourbes. À mille lieues de nos incartades, illégales certes, mais empreintes d'une droiture morale que ceux-là ignorent totalement. Cent fois, je lui ai geint ma prison dorée cathodique. La métaphore est parlante puisque parmi les mots qu'on emploie à la télévision, « grilles » et « chaînes » sont les plus utilisés. « M » comprenait à la fois mon malaise et, malgré tout, cette addiction dont j'avais du mal à me débarrasser. C'est la première phrase. Celle qu'il m'a dite lors d'une visite que je lui avais faite au parloir d'une taule du sud-ouest.

— *Ce sont les prisons qui n'ont pas de barreaux dont on s'évade le plus difficilement !*

Cette phrase compilait en vrac nos histoires d'amour, de famille, nos clans, nos habitudes et nos lâchetés bien sûr. Tous ces enfermements volontaires dans des vies qui ne nous conviennent pas vraiment, mais dont on a tant de mal à se détacher. Pour moi, c'était la boîte à images. Jouissive certes, mais si étroite pour un artiste aux idées larges. Un libertaire coincé entre la technocratie économique et la censure du politiquement correct.

Et puis tout récemment, on m'a foutu dehors de la centrale. Allez, dégage et qu'on ne te revoie plus ! Viré. Sans un mot. Sans même une explication, un prétexte. Après vingt-trois ans de bons et loyaux services, comme on dit. Alors que je caracolais en audiences et je rendais heureux des millions de gens. Et au bout, même pas un entretien les yeux dans les yeux. Un poignard dans le dos. Bien profond. À la reptile. Froid et visqueux.

Pas très vieille pègre, tout ça. Mais bon ! Mes écarts de langage, mon insolence « vieille pègre » justement, mes façons de voyou rigide dans un monde d'invertébrés lécheurs de croupes a accéléré le processus. Je reconnais volontiers mon incapacité chronique à la soumission ordinaire. Les accroupissements veules et les amabilités buccales ne font pas partie de mes contorsions pour m'élever dans l'échelle sociale. Alors tchao ! Adieu la lumière cathodique. Ici l'ombre. Le Français peut parler maintenant aux Français de la France libre. Sur scène. Sans chaînes. Sans grilles. Sans bâillon. Le retour à l'air pur.

« M », qui connaissait bien Maman, y voit un coup de main de sa part. Comme moi, il croit à la présence de nos absents. Pour lui, elle s'est dit :

— *Mon petit souffre trop dans ce monde de tordus. Si on ne le pousse pas dehors, il ne partira pas !*

Je crois que « M » a raison. C'est Maman qui, perchée sur mon épaule en sentinelle, a commandité la manœuvre. C'est elle qui a poussé les dirigeants à m'éjecter en m'ôtant toute envie d'y retourner. Je pense même que c'est elle qui a soufflé à « M » la phrase qu'il m'a offerte pour me motiver à une nouvelle vie. Une phrase qu'il m'a avoué s'être dite à chaque sortie de prison, quand le maton qui l'accompagnait lui conseillait de changer de chemin :

— *Tu ne tournes pas une page. Tu fermes un livre pour en ouvrir un autre !*

J'ai commencé à ouvrir un autre livre. Ne serait-ce qu'en écrivant celui-là. Et je t'avoue que j'y ai retrouvé une certaine joie de vivre. Génétiquement, je dois être fait pour la marge. Il a raison, « M », la pleine page et ses carreaux bien réguliers sont une prison. Alors, peut-être qu'un jour je finirai dans une vraie taule, mais sûrement pas dans celle d'un écran plat.

Il y a eu des milliers de commentaires sur mon éviction du service public. La frustration des aficionados. La satisfaction des bouffeurs de vieux. La dictature arbitraire des élites qui dégueulent leur mépris sur tout ce qui est petit peuple. Le sentiment d'injustice est celui qui a le plus dominé. Comme si j'étais condamné pour un crime que je n'avais pas commis. Encore une métaphore de voyou. C'est génétique. La phrase inoubliable de « M », pour résumer tout ça, a ramené la réalité à de plus justes proportions. Il a été fidèle à lui-même. Compassé, mais pas forcément complaisant. Juste comme toujours. Avec encore une fois une métaphore tout ce qu'il y a de « corporate ».

— *OK, Patrick, ils t'ont tué… Mais c'est toi qui avais chargé l'arme !*

Comme il a raison ! Mais j'ai choisi mon côté de la barrière. Pas le bien propre, lustré au Starwax. L'autre, le moussu, à l'ombre. Et pas sûr que ce soit le moins nuisible à la société. En 1995, dans *Osons*, une de mes émissions qui m'avait attiré toutes les foudres, j'osais l'incorrect, le dérangeant. Pour plus de dix millions de téléspectateurs, j'offrais du défoulement, du subversif à mille lieues de l'ordinaire sous vide. Un soir, deux porte-flingues d'État sans flingue m'attendaient devant mon bureau. Tout juste menaçants, ils m'ont expliqué avec froideur les dangers des vérités qu'on ne doit pas dire. La dernière phrase qu'ils m'ont glissée est forcément inoubliable :

— *Arrêtez de leur dire d'oser. Sinon, ils vont finir par descendre dans la rue oser demander ce qu'on leur doit !*

C'est qui les voyous ?

LA FOLIE DES GLANDEURS

(*La Folie des grandeurs*. Gérard Oury. 1971)

Un minichapitre à ignorer si tu as les oreilles chastes. Du trivial, du gras, du bien lourd. À faire hurler Marlène Schiappa. Et à la renvoyer à ses études d'ego médiatico-féministe ultra-dimensionné. Tu pourrais croire que j'ai une dent contre la nouvelle Jeanne d'Arc de la bienséance appliquée à tous les égrillards occasionnels. Celle qui se dresse vent debout contre tous les débordements un tant soit peu triviaux. Absolument pas ! Je la remercie même d'être le contre-exemple parfait à ce que nous sommes prétendus être, nous les soudards, les rabelaisiens. Comme me l'a dit le plus grivois de mes amis humoristes :

— *Elle est la preuve vivante qu'on peut être vulgaire sans jamais prononcer un seul gros mot !*

Tout ça en introduction à quelques-unes de ces saillies de comptoir qui agrémentaient jadis nos journées festives en toute impunité. Avant la furie des ayatollahs du tout correct. Ces phrases outrées de bon vivant qui pullulent encore, par bonheur. Mais sous le manteau. Presque au marché noir. Dans cette guerre surréaliste où on fusille les gentils joyeux un peu graveleux et où on décore les salauds tristes diplômés ès convenance.

L'auteur de la première réplique est un ami technicien de spectacle. Un cavaleur à qui on reprochait de se précipiter sur tout et n'importe quoi. Une sentence marquée du sceau de son passé de sportif accompli :

— *Quand y a pelouse, y a match !*

Alors effectivement, cette phrase est dénuée de toute délicatesse. Machiste, sexiste. Je me doute qu'elle ne sera pas la préférée de mon si cher éditeur. De la tenue, Patrick, de la tenue ! Il a raison. Mais je suis un rapporteur du quotidien. Et dans le quotidien le plus abrupt, l'expression oratoire se soucie peu des convenances. Le gros mot fuse. Parfois en ponctuation, comme « Putain, con ! », dans le Sud. Souvent en exutoire.

Et là, on touche à la sociologie. La grossièreté des mots ne s'étalonne-t-elle pas à la vulgarité d'une société emprisonnée ? Il faut bien exulter d'une manière ou d'une autre. Alors on expectore du trivial, du gras, du vulgaire. En secours. En évasion. Et va savoir si cette vulgarité n'est pas parfois l'expression imagée d'une réalité bien plus profonde ? C'est le cas de le dire. Surtout dans cette repartie d'un ami à qui je demandais pour qui il avait voté aux dernières élections présidentielles.

Il aurait pu me faire une réponse polie. Politiquement correcte. Argumenter que, déçu par de vaines confiances précédentes, il avait renoncé à exprimer ses envies en cautionnant un menteur de plus. Il aurait pu formuler ça de cette façon :

— *Désenchanté par mes expériences passées, cette fois, j'ai préféré donner ma voix à un candidat qui ne se présente pas. Un acteur dont le nom représente à lui seul l'extrême amplitude de nos désillusions.*

Ça, ça aurait été rhétoriquement correct. Voire sujet à débat dans une de ces luttes médiatiques insignifiantes entre Éric Naulleau et Éric Zemmour. On aurait pu disserter, sans qu'aucun censeur de vocabulaire y mette le nez, sur les raisons sociologiques qui alimentent une abstention galopante. Mon ami a préféré cette expression triviale imagée qui en disait tout autant :

— *J'ai voté pour Rocco Siffredi ! Quitte à se faire enfiler, autant faire confiance à un vrai professionnel !*

Allez, on abandonne pour l'instant la politique, et on revient à la vraie vie ! Et à Olivier. Je vais beaucoup te parler de lui dans ce livre. Il était un de mes snipers intimes préféré, aujourd'hui disparu. Olivier était, comme je te l'ai déjà imagé, mon frère et demi. Plus qu'un ami. Le copain de l'adolescent devenu l'indispensable de l'adulte. On avait fait l'école de la République sur les mêmes bancs de lycée, et ensuite on a prolongé l'école de la vie sur les mêmes tabourets de bistrot. Et plus tard sur les sièges des autos avec lesquelles on a sillonné la France pendant vingt ans, de spectacle en spectacle. C'était mon bras droit. Mon bras gauche aussi. Et cette infinie tristesse, depuis sa disparition, de ne plus pouvoir le serrer dans les deux.

Pendant longtemps nous avons tout partagé. Il était mon secrétaire confident. Dans les grandes années, on faisait jusqu'à deux cent cinquante spectacles par an. Avec tous les aléas et toutes les folies qui allaient avec. Le goût de la farce en bandoulière. Et la libre parole. Instantanée, grossière souvent. Les mots de la rue, avec la verve en plus. Cyrano de partout avec une dose de Coluche et une autre de Bérurier.

Cependant, même si nous n'avions aucunes limites dans le vocabulaire, nous en avions souvent dans le comportement. Surtout quand il s'agissait du respect de soi-même. Comme ce jour où, affalés sur une banquette de discothèque, on voyait se balancer devant nous une très jeune fille. Elle dansait avec une indécence rare. Et agglutinée autour d'elle une dizaine de garçons lubriques qu'elle laissait la caresser dans les endroits les plus intimes. J'ai glissé à Olivier que, si c'était ma fille, je pourrais la gifler. Sa repartie a été bien plus définitive :

— Si c'est la mienne, j'écarte les jambes de ma femme et je la remets à l'intérieur !

Il y avait, pour nous, une région privilégiée, l'été : le Languedoc. Pour le vrai festif. Bien loin du « m'as-tu-vu » de Saint-Tropez. Sans chichis, sans manières. Cette nuit de l'été 1982, à Palavas, le Copacabana explosait de rires et de musique. La boîte de nuit en bord de mer était notre cathédrale à plaisir. Du disco en guise de grandes orgues, du whisky vin de messe, et des fidèles bigarrés. Joyeux, heureux. Sans autre souci que de vivre vite. Et le plus fort possible. À notre table, des musiciens et leurs mélodies du jour. Des filles d'occasion. Des charmantes. Des aimables. À aimer donc. Le DJ a envoyé le titre suivant en hurlant dans la sono saturée avec un accent anglais revisité Montpellier :

– *Et on part sur les « riveurse offe Babylone » !*

J'ai commenté :

– *Ça, c'est Boney M !*

La plus gaie de nos compagnes a alors relevé son tee-shirt et exhibé une poitrine impressionnante en lançant :

– *Et ça, c'est « bonnet F » !*

Et, évidemment, Olivier s'est engouffré dans le « tac au tac ». Impressionné par les seins hors normes, il a lâché :

– *J'ai envie de traire !*

Réponse faussement offusquée de l'exhibitionniste :

– *Mais je ne suis pas une vache, Olivier !*

Parenthèse : pour atténuer le grossier de la réplique qui va suivre, j'ai remplacé le mot cru qu'Olivier a employé pour parler de son sexe par un « bip ». Comme ça, Marlène est contente ! Et comme la sonorité de ce mot est presque la même que « bip » à une lettre près, tu pourras quand même apprécier la repartie. Voici donc l'ultime tac au tac d'Olivier à la demoiselle qui refusait en riant d'être assimilée à la race bovine :

— *Et alors ! Moi, j'ai une « bip ! » de moineau. Tu m'as déjà vu voler ?*

LES MOIS DE JUILLET SONT MEURTRIERS

(*Les mois d'avril sont meurtriers.* Laurent Heynemann. 1987)

Et encore le Copacabana de Palavas, en 1990. Et encore Olivier. Mais on ne rit plus. On pleure. On hurle même de douleur. C'est de cette boîte de nuit que sortait mon fils Sébastien quand il a enfourché la moto qui allait me le voler quelques kilomètres plus loin. Je suis le dernier à lui avoir parlé avant qu'il parte. Je l'ai serré dans mes bras en lui donnant des conseils de prudence. Il ne les a pas suivis, hélas ! Bien sûr que la dernière phrase que je lui ai dite est inoubliable. Mais je préfère la garder pour moi. Je ne vais quand même pas l'imprimer. Vingt-huit ans après, j'ai déjà tellement de mal à l'effacer.

Toutes les phrases de la journée qui a suivi sont inoubliables. Mais la plus violente, je ne souhaite à personne de l'entendre un jour. Même à mon pire ennemi. L'avantage, c'est qu'elle efface en gravité toutes celles que j'ai pu entendre par la suite. J'étais dans le hall d'entrée du Novotel de Montpellier. J'avais appris la nouvelle de l'accident quelques minutes plus tôt. La réceptionniste m'a dit que j'avais un appel de la gendarmerie. Je me suis dirigé vers la cabine à l'angle du comptoir de réception. Et la phrase est tombée. Froide. Abominable.

— *Pouvez-vous venir à la morgue reconnaître le corps de votre fils !*

Comment veux-tu qu'après ça je puisse être bouleversé vraiment par quelque autre phrase que ce soit ? Quels que soient les mots d'abandon, d'insulte, de mépris que j'entendrais par la suite, ils n'auront jamais ce son acéré, violent et irréversible. Inoubliable.

Je ne suis pas allé reconnaître le corps de mon fils. C'est Olivier qui m'en a dissuadé. Pour que je garde la belle image. Il avait raison. Tu sais, le même Olivier graveleux et grossier du chapitre précédent. C'est lui qui est allé à la morgue. Pour prendre à son compte l'image insoutenable. J'ai essayé de l'en dissuader à mon tour. C'est lui qui allait avoir la sale photo imprimée à vie dans la mémoire. Il m'a renvoyé dans les cordes. C'est l'expression adéquate puisqu'il m'a dit :

— *Tu attaques le plus grand combat de ta vie. Laisse-moi le premier round !*

Le deuxième round a commencé le soir même. Parce que, comme le veut la devise de notre métier : « *The show must go on !* » Et, selon mon désir, on a tous « *go on* ». Je suis quand même monté sur scène.

Pas pour le plaisir. Oh, non, surtout pas ! Juste pour la survie, tu le sais bien. Quand je pense que certains me l'ont reproché ! Parce que tu crois que j'avais le cœur à chanter et à rire ? Un ami musicien, en me voyant m'énerver contre un de ces juges imbéciles, et être à deux doigts de lui voler dans les plumes, m'avait dit :

— *Laisse tomber ! Il y a des cons partout. Je crois même que ceux de l'année prochaine sont déjà arrivés !*

La tournée était gigantesque. Plus de cent personnes sur la route pour un spectacle festif devant des milliers de spectateurs chaque soir en plein air. Le « festif » de ce 15 juillet-là illuminait la place du Grau-du-Roi. Au loin, face à la scène, la route où le petit s'était tué quelques heures plus tôt. En coulisse, des larmes rentrées. Des mâchoires et des poings serrés. Et tellement, tellement de chagrin sous les robes à paillettes des danseuses. Et des silences bien plus parlants que des mots.

Et puis, comme les salauds ne se reposent jamais, à quelques minutes d'entrer en scène, on a entendu les aboiements des chiens de la sécurité et les vociférations d'un homme. C'était un photographe de presse qui avait franchi les barrières et qui voulait absolument voler des clichés de mon chagrin. Il hurlait qu'on l'empêchait de faire son travail. Je me suis précipité. On a tenté de me retenir, mais c'était impossible. Je me suis planté à deux centimètres de son visage et je lui ai dit :

— *Si tu fais un pas de plus, je te tue !*

Je l'aurais fait. L'homme s'est enfui en menaçant de porter plainte pour entrave à la liberté de la presse et menaces de mort. C'est le costaud de la sécurité qui m'accompagnait qui a eu le mot de la fin :

– *Quel pourri ! Heureusement que mon chien ne l'a pas mordu. C'est lui qui aurait pu mourir empoisonné !*

Olivier était là, tout proche. Quand il était revenu de la morgue, nous n'avions échangé aucun mot. Il avait juste eu un hochement de tête pour me confirmer que c'était bien mon fils qu'il avait vu. Et c'est moi qui l'avais serré dans mes bras pour le réconforter. Pour tenter de prendre cette fois à mon compte la culpabilité qui le hantait. Motard passionné, quand Sébastien avait décidé de chevaucher à son tour, c'est lui qui avait choisi la Kawasaki assassine. Il fallait absolument qu'on tienne, qu'on résiste. Alors, quelles armes pour lutter contre cet attentat de la vie ? Le courage, évidemment. Et puis l'humour bien sûr. Noir. Bien plus que noir. Que seul mon vieil ami avait le droit d'utiliser dans ces circonstances. Il n'y a que notre amitié sans faille qui pouvait l'autoriser à oser les mots qu'il fallait.

Cet humour noir, on s'en servait sans cesse, lui et moi. Et depuis toujours. Parce que la vie nous avait faits ainsi. Provocateurs et insubmersibles. Le nez rouge à portée de la main à chaque saloperie du destin. Surtout quand c'était très grave. C'est dans le pire qu'on a toujours été les meilleurs. Dans notre adolescence, on était même allé, un soir d'infinie tristesse, jusqu'à offrir une boîte de crabe à un ami qui avait le cancer en lui disant :

– Y a pas de raison que ce soient toujours les mêmes qui profitent. Pour une fois, c'est toi qui vas le bouffer, et pas le contraire !

L'ami avait ri et nous avait remerciés. Parce que rien n'est pire dans ces cas-là que la compassion obligatoire. Pleurer sur le sort, c'est adouber son injustice. La sollicitude attristée est tout sauf un remède. Elle est juste une convenance, mais elle ne résout rien. Et c'est au nom de ça que ce jour de drame absolu pour nous, il fallait trouver la parade. Rajouter du rouge à celui du sang sur la route. Celui du nez de clown. On était le 15 juillet 1990. Le 14, c'était encore le plein bonheur. Le soleil, le succès. La chaleur. Trop de chaleur, notre contrariété météorologique du jour. J'ai dit :

– Dieu devrait nous passer un petit coup de fil les veilles de drames. Histoire qu'on profite mieux du temps qu'il reste au lieu de nous lamenter sur le temps qu'il fait !

Pour apprécier à sa juste valeur la réplique qui va venir, il faut préciser que Coluche était mort en moto quatre ans plus tôt. Il faisait partie des imitations de mon tour de chant que j'avais intitulé : *L'Imitation 90*. Avec une affiche sur fond de panneau routier. Le petit s'était tué de rouler trop vite. Ironie du sort ou prémonition ?

Aux premiers accords de la musique, j'ai entendu le hurlement de la foule enthousiaste. Je n'avais pas un public devant moi, j'avais une montagne. J'avais fait préparer en coulisse une montagne de cartons. Pour me défouler après. Pour frapper, frapper, frapper quand je sortirai. Pour vider toute ma colère, tout mon désespoir. Mais avant il fallait sourire, rire. Il fallait les rendre heureux, eux. Un Everest. Alors, il me fallait « La Phrase », les mots. Je savais qu'Olivier aurait ceux qu'il fallait. Fidèles à nous. À nos outrances. Surtout pas de lamentation. Un doigt d'honneur à cette saloperie de destin, plutôt. Ça a été le cas.

Il s'est approché de mon oreille et m'a glissé :

— Je veux pas te vexer, mais Coluche, il l'a imité mieux que toi !

NOUS REVIENDRONS TOUS DU PARADIS

(*Nous irons tous au paradis*. Yves Robert. 1977)

Coluche 1 faux, c'était le titre de son émission sur Canal +. Pour moi, c'était souvent « Coluche en faux ». L'imitation que je faisais de lui. Avec même parfois la salopette qu'il m'avait offerte. Une des reliques les plus touchantes de mon musée personnel, avec le costume de Joe Dassin que m'a donné son fils. Je n'y peux rien, j'ai la nostalgie textile. Chacun ses fétichismes.

Parmi les phrases inoubliables que j'ai entendues de la bouche de Coluche, il y a bien sûr la plus terrible que je t'ai déjà livrée dans mon livre précédent. Un soir où je l'avais raccompagné chez lui, rue Gazan, et que je m'étonnais devant le nombre de « copains » qui squattaient la maison. La fausse amitié termite qui te bouffe la charpente. Ils ne faisaient pas que bouffer. Ils buvaient aussi et se remplissaient les narines aux frais du prince. J'ai exprimé au clown à la salopette rayée mes réserves sur la sincérité de certains :

— *On dirait des fourmis sur un bout de sucre. Moi, je pourrais pas !*

Il a rigolé, et m'a balancé, l'œil mi-gai mi-triste :

— *J'ai pas d'amis, alors j'me les paye !*

Et puis, juste après, pour être totalement raccord avec sa grossièreté légendaire, il m'a balancé une autre phrase de concours. Comme pour désamorcer le côté désespéré de sa première réplique. Il m'a désigné une jeune femme qui déambulait en tenue légère. Une actrice dont la nymphomanie était autant connue qu'elle du Tout-Paris. Il se disait même qu'elle avait un penchant pour des pratiques sexuelles particulières qu'avaient expérimentées bon nombre des célébrités présentes ce soir-là. Il m'a balancé sans pudeur :

— *Elle a vraiment tout pour réussir au théâtre. Devant, c'est l'entrée du public, et derrière, c'est l'entrée des artistes !*

Et puis, dans la catégorie « reparties de concours » de Coluche, il y avait eu, quelques années plus tôt, sa rencontre avec Daniel Guichard à laquelle j'ai assisté quand le chanteur s'occupait de Radio Bocal. Une des innombrables stations libres qui avaient fleuri en 1981. Daniel avait explosé les hit-parades avec son tube : « Mon vieux ». Tu sais :

— *Dans son vieux pardessus râpé, il s'en allait l'hiver l'été, dans le petit matin frileux, mon vieux.*

Daniel n'avait jamais croisé Coluche. C'était leur première rencontre. Je m'attendais au premier contact à des mots d'admiration respective, ce qui était le cas. Le clown s'est avancé vers Daniel, le sourire coquin aux lèvres, lui a serré la main, et lui a lancé :

— *Vieux pardessus râpé, c'est votre vrai nom ?*

Je ne peux pas oublier non plus le plus bel hommage qu'il ait rendu à l'imitation que je faisais de lui au cours d'une émission chez Guy Lux. C'était au début de sa campagne électorale présidentielle de 1981. On avait improvisé un duo devant les caméras. Histoire d'effrayer un peu plus ses détracteurs en leur proposant deux Coluche pour le prix d'un. C'est à cette occasion qu'il m'avait officiellement intronisé second rôle au cas où il accéderait à la fonction suprême. En agrémentant évidemment cette promotion de la phrase qu'il fallait pour la répartition des tâches :

— *Tu seras mon vice-président. Moi, je m'occuperai de la présidence et toi, tu t'occuperas du vice !*

Nous ne nous sommes, hélas ! occupé ni de l'une ni de l'autre. La belle aventure a capoté. Et pourtant, le petit peuple était derrière lui. Des tas de gens auraient voté pour lui. Et encore une fois la raison d'État a eu raison de la raison des tas. Et des tas de raisons l'ont ramené à la raison. C'était il y a presque quarante ans. Avec un écho, il y a peu. C'était les gilets jaunes avant l'heure. Avec un nez rouge en tête de gondole. Et cette phrase qu'il m'avait dite qui risque de résonner encore longtemps :

— *Comme ceux qui s'y connaissent n'arrivent à rien, autant donner le pouvoir à ceux qui n'y connaissent rien. On arrivera peut-être à quelque chose !*

Mais la phrase la plus inoubliable, lorsque je pense au « gros », ne vient pas de lui. Elle a été prononcée par un enfant que j'ai croisé par hasard dans les couloirs de Bry-sur-Marne. C'était là que se trouvaient les studios où j'ai tourné mes émissions pendant plus de vingt ans. Je t'ai déjà parlé de mon émission la plus audacieuse : *De l'autre côté du miroir*. Je me grimais pour organiser des face-à-face avec des artistes. Je leur proposais un dialogue surréaliste avec eux-mêmes ou avec une personnalité proche disparue. Cela m'a valu des émotions incroyables qui parfois avaient quelque chose de mystique. Ma plus intense expérience d'artiste à la télévision.

Je ne pourrai jamais oublier les larmes de Glaude Gensac face à « De Funès ». Celles d'Alice Dona et de Jean-Michel Boris, le directeur de l'Olympia, devant un « Bécaud » copie conforme. Celles de Dani face à « Gainsbourg ». Et, bien sûr, le « Papa ! » bouleversé qu'avait lancé Patrice Dard en découvrant à travers moi son père Frédéric décédé depuis peu. Et surtout ce moment suspendu où il m'avait demandé si je me souvenais des derniers mots que « je » lui avais dits sur « mon » lit de mort.

J'ai répondu :

– *Oui. Je t'ai dit : « Je t'aime. »*

Je ne pouvais pas le savoir, et pourtant c'était exactement ça. Inoubliable et profondément troublant. Il s'est passé autour de cette émission, des choses qui allaient bien au-delà d'une simple mise en abyme. C'est peut-être pour cela que la phrase inoubliable qui va suivre est en parfait accord avec l'irréalité de ce tournage.

Je déambulais dans les couloirs du studio. Ce jour-là, je m'étais préparé pour un face-à-face « en Coluche » avec son fils, Marius. « L'enfoiré » avait quitté la piste une vingtaine d'années plus tôt. J'étais totalement dans le personnage. L'illusion était parfaite. L'allure, les habits, le visage trait pour trait. Ma maquilleuse, Brigitte Delouis, et mon coiffeur, Alain Barnasson, avaient une fois de plus fait des miracles. Je ressemblais à Coluche à s'y méprendre. Et intérieurement, j'étais lui. J'arrivais sous la verrière du studio quand, soudain, un enfant de huit ans qui passait par là est tombé en arrêt. Il a ouvert de grands yeux étonnés :

– *Ça alors, Coluche !*

J'ai joué le rôle à fond. Avec la voix de mon modèle, j'ai lancé :

– *Ben oui ! Ça va p'tit gars ?*

Le môme n'a pas répondu à ma question. Il m'a juste renvoyé sa question à lui. Naïve et si réaliste à la fois. Et tellement poétique sans qu'il l'ait voulu.

Inoubliable.

— *Alors, t'es bien au ciel ?*

CHICHI IMPERATOR

(*Sissi impératrice.* Ernst Marischka. 1956)

Chirac. Une amitié de presque cinquante ans. Pas vraiment une intimité. Un corps à cœur sincère et réciproque que les aléas, qu'ils soient de politique ou de santé, n'ont jamais entamé. Et, bien sûr, beaucoup de phrases inoubliables. J'en ferai même plus loin un minichapitre supplémentaire. Il mérite bien ça. Sa disparition, après celle d'Aznavour et de Johnny, a crissé comme la page déchirée d'une autre époque. Ça sent l'orphelin pour toute une génération. Sans compter les dommages collatéraux. Ceux que m'a soufflés un ami :

— *Johnny, Aznavour, Chirac qui disparaissent... Si ça continue, y aura personne à l'enterrement de Michel Drucker !*

Mais n'anticipons pas. Même si, comme c'est souvent le cas, la véritable mélancolie a toujours un pas d'avance sur les regrets officiels. Pour l'instant, retour en arrière avec un Chirac bien vivant. Et bon vivant, surtout. C'est aussi ce que l'histoire retiendra de lui. La convivialité rurale. Sa façon typiquement corrézienne de tâter le cul des vaches. Un atout bien plus important qu'il n'y paraît. D'un végétal à l'autre. L'art de se tresser des lauriers en allant en chercher la technique d'assemblage au ras des pâquerettes. Camille, le père qui m'a élevé, a été maquignon. Justement sur ces marchés de Corrèze où on concluait les ventes de bestiaux en se tapant dans la main. Il m'avait enseigné une condition *sine qua non* à la réussite qu'a parfaitement appliquée le grand Jacques pour accéder à la fonction suprême.

— *Dans un marché, celui qui prend l'autre pour un imbécile a perdu !*

Et Dieu sait qu'il a été efficace, le « Chichi », dans l'art de se faire passer pour un grand con sympathique. Qualificatif dont l'affublaient tous ses adversaires. Sans se douter de la manœuvre. Une technique d'autosous-estimation qui, l'air de rien, lui a permis de tous les coiffer au poteau. Tu peux y ajouter une philosophie de l'échec et du succès empruntée à un adage de sa grand-mère qu'il a seriné cent fois :

— *Les hauts, il faut les mépriser, et les bas, il faut les repriser !*

Tout ça pour bien te faire comprendre à quel point les racines corréziennes que nous partagions ont été capitales dans son ascension vers le sommet de l'État. Dans une chanson récente, le groupe Trois cafés gourmands évoque « la Corrèze en cathéter ». À croire que c'est la perfusion gagnante, puisque Jacques et moi, chacun dans notre partie, et toutes proportions gardées, avons prouvé que notre département n'était pas seulement cette contrée reculée dont les bobos de Paris se moquaient allègrement en disant :

— *La Corrèze, c'est ravitaillé par les corbeaux. Et encore, ils passent sur le dos pour ne pas voir la misère !*

Nous, ça a été la revanche des sous-développés. Les politiques bon teint brocardaient la députation de bouseux de Chirac, il est devenu président de la République. Les médias suffisants tançaient ma beaufitude provinciale, c'est moi qui détiens le record d'audience absolue des émissions de télé hors foot mondial. Deux pieds de nez, pour ne pas dire deux doigts bien profonds, qui ont scellé entre Jacques et moi une amitié jumelle. Frère de sous-évaluation, ça donne de l'élan ! Cette fraternité bien particulière, comme je l'ai précisé au début, ne nous a pas fait intimes très proches. Mais amis suffisamment complices pour partager de nombreux moments de convivialité privée.

C'était le 14 novembre 1994. Je l'avais invité à mon anniversaire. Nous étions quelques mois avant des présidentielles qui à ce moment précis s'annonçaient plus que hasardeuses pour lui. Sarkozy, son « fils spirituel », l'avait lâché pour Balladur, son concurrent à droite. Et ce jour-là, il venait d'apprendre la défection de deux de ses plus vieux grognards : Pasqua et Seguin. Le coup était très, très rude, mais il déambulait dans la petite fête, le demi de bière à la main et le sourire convivial pour tous. Comme si de rien n'était. Du Chirac, grand cru ! Il m'a pris à part :

— *La semaine prochaine, je fais un meeting chez nous, en Corrèze. Je voudrais que tu viennes avec moi. On voit mieux les choses d'en bas. Quand on est sur la cime de l'arbre, on ne voit plus l'arbre !*

Pile dans la droite ligne de la « fracture sociale », son nouveau cheval de bataille. Cheval de trait dans une course de pur-sang où les coups de cravaches pleuvaient. Bernadette m'avait confié que la trahison de Sarkozy l'avait laissé comme un mari trompé. Les sondages ne lui donnaient que onze pour cent d'intentions de vote. Le fiasco était annoncé. L'homme était blessé. Blessé, mais plus que jamais debout. Dans la voiture qui nous emmenait au meeting de Meymac, il m'a confié à mi-voix :

— *Tu te rends compte de tous ceux que j'ai aidés ! Aujourd'hui, il n'y a plus personne. Et si ça marche, ils vont tous arriver en courant. J'en rigole d'avance !*

Il ne rigolait pas. Il se battait. Avec ses armes. La chaleur humaine, la conviction. Le meeting a été triomphant. On ne s'apercevra que bien plus tard que c'est de ce meeting-là qu'a vraiment démarré la remontada qui le conduira en mai 1995 au poste suprême.

Pendant ce meeting, j'avoue que j'ai été bluffé par l'artiste. J'ai bien écrit « l'artiste ». Parce qu'il s'agissait vraiment d'un spectacle. Un stand-up avec une énergie incroyable. Le sens de la repartie, du tempo, des ruptures de ton, des envolées. Un pouvoir de conviction qui faisait alterner la compétence, l'autorité et juste la petite pointe d'humour qu'il fallait pour détendre avant de surprendre. Comédien alors ? Évidemment. Mais avec ce fond de sincérité qui fait les grands *show men.*

J'ai pu mesurer aussi, en « lever de rideau », l'écart qui séparait les orateurs amateurs du professionnel. C'est là que j'ai compris pourquoi c'était lui et pas les autres. Les uns, hésitants, le nez sur leurs fiches, la voix peu assurée. Et lui, sans notes, sans un oubli, sans un bafouillage. Clair. Autoritaire. Humain. Présidentiel.

Au retour, le chauffeur nous a déposés devant l'entrée de l'hôtel des Gravades à Ussel. Un petit entracte seul à seul avant le retour dans sa chambre. La nuit était sombre. Je m'apprêtais à remonter dans ma voiture. Ce n'est que bien plus tard que je prendrais conscience de la chance que j'ai eue de vivre les yeux dans les yeux, seul avec lui, ce moment clé de sa campagne. Quand le fléau de la balance des probabilités aurait dû le faire renoncer. L'obscurité aidant, je me suis dit que je pouvais peut-être oser quelques mots plus intimes. Et même tenter de le convaincre de ce que beaucoup de ses proches pensaient en coulisses, mais qu'ils n'osaient pas lui dire.

J'ai glissé :

— Et si tu n'y allais pas ? Onze pour cent à six mois du scrutin, c'est presque insurmontable. Il vaut peut-être mieux partir la tête haute que te faire rabaisser. Tu mérites quand même une plus belle sortie.

L'animal a rué. Mais sans colère. Avec dans la voix une assurance et une certitude qui m'ont bluffé.

– *Hors de question. Non seulement, je vais y aller, mais je vais gagner !*

Sûr de lui. Étonnamment solide. Et il a ajouté d'une voix encore plus solennelle :

– *N'oublie jamais, Patrick, que la vraie force d'un homme, ce n'est pas le « pouvoir », c'est le « vouloir ».*

UN TAXI POUR ALGER

(*Un taxi pour Tobrouk.*
Denys de La Patellière. 1961)

La célébrité accouche de milliers de phrases inoubliables… qu'on aimerait pourtant tellement oublier. Surtout aujourd'hui, à l'heure des réseaux sociaux. Que de sentences impitoyables ! Que d'insultes, de jugements erronés, de calomnies en tout anonymat. Que d'avalanches d'insanités au seul prétexte, pour celui qui en est victime, qu'il est dans la lumière ! Un révélateur de l'infinie profondeur marécageuse de l'âme humaine.

Les nouvelles technologies de communication ont établi la dictature des cloportes. L'autocratie des rats d'égout. Frustrés de fond de cave cautionnés par des diffuseurs intouchables. Diaboliques. Le mot est on ne peut plus juste. La pomme croquée en effigie sur ton ordinateur en est l'illustration parfaite. Le conseil accompli du serpent à Ève. Ces raclures diffusent un fiel qui va contaminer les rapports humains pour de longues années. Un sale poison à l'image de ce que me confiait un « célèbre » récemment :

— *Ils ne nous ont pas empêchés de réussir, mais ils nous ont bien gâché la fête !*

Putain d'image de marque ! Que les « autres » nous dessinent à partir d'une phrase échappée, d'un look hasardeux, d'un comportement dans la rue. Il m'est même arrivé, un jour, dans une station-service, qu'une dame reclasse mon orientation sexuelle à partir d'une sensation olfactive. Je venais de lui faire le bisou qu'elle m'avait réclamé. Curieuse, elle m'a demandé la marque de mon parfum. Et quand je lui ai révélé qu'il était de Jean Paul Gaultier, elle s'est exclamée :

— *Je ne savais pas que vous étiez pédé !*

Drôle, pour une fois. D'ailleurs, à l'heure du bilan, je préfère ne garder que ces jugements-là. Les maladresses aimables. Les petites saillies pour rire. Les vannes sympathiques. Et jeter aux orties les salissures ordinaires. Les réseaux sociaux ont fait de notre époque une gigantesque poubelle. Alors par auto-écolo-protection, je pratique le tri sélectif. Je suis bien trop vieux pour me rajouter des rides supplémentaires à l'âme. Celles que j'ai au corps me suffisent. Et surtout, le sens de l'humour dont Dieu a eu l'élégance de me doter me permet en toute occasion de suturer ces mini-plaies à l'ego. Et, bien entendu, de me réfugier dans l'autoflagellation de classe. Celle qu'a si bien exprimée le grand Guitry :

— *Si les gens qui disent du mal de moi savaient ce que je pense d'eux, ils en diraient bien davantage !*

Par bonheur, quand on est un artiste populaire, il y a quand même une majorité de gens qui nous veulent du bien. Et pour être tout à fait honnête, cette célébrité-là a plus d'avantages que d'inconvénients. Des facilités de réservation dans les hôtels ou les restaurants, des priorités chez les médecins spécialisés. Des privilèges qui compensent largement la soumission obligatoire aux demandes de selfies et autres bourrades dans le dos qui ne sont pas toujours bienvenues.

Et surtout il y a ces témoignages d'amour au hasard des rues. Avec un petit plus pour l'ego en ce qui me concerne depuis quelque temps. Avant, ceux qui m'abordaient me félicitaient pour ce que je faisais. Aujourd'hui, et de plus en plus fréquemment, le témoignage d'amitié qui me touche le plus c'est lorsqu'on me dit :

— *J'aime ce que vous êtes !*

Cette célébrité est aussi, bien évidemment, tu t'en doutes, un aimant à aventures plus ou moins sentimentales. Et l'occasion, là aussi, d'entendre des phrases inoubliables. Je t'en ai sélectionné une qui résume assez bien la distance qui sépare l'attirance pour ce qu'on est vraiment du pouvoir de notre affiche. C'était dans les années quatre-vingt, quand je n'étais qu'imitateur. La jeune fille que je m'étais mis en tête de conquérir pour une petite nuit d'escale était réticente. Elle m'avait déjà martelé trois fois :

— *Je ne suis pas de celles qui s'allongent avec quelqu'un parce qu'il est connu !*

Après trois bonnes heures de haute lutte, j'ai fini par la convaincre. Elle céda, mais en insistant encore sur le fait que ma célébrité n'y était pour rien. Les préliminaires s'étaient déroulés de façon idéale, et, tout en vigueur, je m'apprêtais à pousser notre communion plus loin. C'est là que j'ai eu droit à la requête la plus inattendue :

— *Tu veux pas m'imiter Bourvil ?*

Je dois t'avouer que la demande a immédiatement éteint l'entrain qui m'animait. Pour être plus précis, mon érection a diminué à une vitesse impressionnante. L'occasion de placer à mon tour une phrase dont je suis certain que la jeune fille ne peut pas l'avoir oubliée. Je l'ai improvisée en référence à la séquence du film *Le Corniaud* dans laquelle Bourvil voit sa pauvre deux CV mise en pièces par la grosse voiture de De Funès. J'ai désigné mon sexe ballant, et en empruntant la voix demandée par ma conquête du soir, j'ai déclamé :

— *Forcément, elle va marcher beaucoup moins bien, maintenant !*

La phrase inoubliable qui va clore ce minichapitre concerne encore une célébrité. Mais pas la mienne. À l'occasion de la confidence d'un chauffeur de taxi qui m'avait embarqué à la sortie de l'aéroport d'Orly dans les années quatre-vingt. À l'époque où je prenais encore l'avion. Avant de renoncer pour cause de claustrophobie. Et aussi en raison de mon peu de goût pour les risques inutiles. Les retards, les annulations, la bouffe médiocre, les grèves ont définitivement effacé toute velléité de ma part de m'installer dans quelque coucou que ce soit. Sans compter certains tarifs rédhibitoires. Ceux qui mettent en rage mon épouse, après des heures d'attente dans une aérogare. Ce qui m'a d'ailleurs inspiré un slogan publicitaire imparable que l'on peut interpréter à sa guise :

— *Air France, ça, c'est du vol !*

Revenons à mon chauffeur de taxi à la sortie d'Orly Ouest. Un pied-noir. Convivial et bavard. Très bavard. Tu sais, un de ceux qui te remplacent la radio pendant tout le trajet. J'ai eu droit à tous les aléas de sa vie, ses enfants, son boulot, l'exil. Et puis l'admiration qu'il avait pour moi. Et, bien sûr, client humoriste oblige, une blague par-ci par-là. Plus l'obligation d'en raconter une à mon tour.

— *Vous qu'êtes un rigolo, vous en avez bien une petite !*

En trivial chronique, je lui ai, bien entendu, répondu qu'elle était plutôt grosse. Et puis je lui ai glissé une petite plaisanterie sur les Pieds-noirs. En lui assurant que même si de Gaulle les avait laissés tomber, tout n'était pas négatif.

Il a grimacé. J'ai argumenté :

— *Ben oui ! Quand on y réfléchit bien, Enrico Macias lui doit tout !*

Il a rigolé à contrecœur et j'ai enchaîné sur un festival de blagues grivoises qui nous ont agrémenté les bouchons jusqu'à la place Pereire. Au moment de m'aider à retirer mes valises du coffre, il m'a congratulé pour ma simplicité et ma gentillesse. Et il a ajouté :

— *Vous êtes vraiment sympa, vous ! C'est pas comme Dalida ! L'autre jour, elle est montée dans mon taxi et elle m'a dit : « Chauffeur, à la maison ! » Alors, je lui ai répondu : « À la maison, je peux pas, y a ma femme ! »*

LA CAGE AUX FOUS... DE DOULEUR

(*La Cage aux folles.*
Édouard Molinaro. 1978)

Et encore une fois l'alternance. Après le futile, le grave. Comme je te l'ai déjà laissé entendre, à l'image de ma vie en montagnes russes. Le drame qui vient chasser la fantaisie et vice versa. Et l'évocation d'une star du cinéma qui lui aussi a dû naviguer en permanence entre les cimes et les profondeurs de l'émotion. Michel Serrault. Certainement parmi les parrains du *Plus Grand Cabaret du monde* celui que j'ai été le plus fier de recevoir. Un véritable amoureux du cirque. Un vrai clown triste. Qui plus est un frère de résilience. Puisque nous partagions ce point commun détestable d'avoir lui et moi perdu un enfant dans un accident. Lui, c'était sa fille. Et cette douleur infinie que nous nous sommes fait un devoir de transformer en pitrerie. Pas pour guérir, on ne guérit jamais. Non, pour suturer, pour aseptiser. Avec la plus utile de mes phrases de chevet :

— *Le nez rouge du clown est le plus lumineux des mercurochromes !*

En fait de point commun, il y en avait bien plus qu'un. L'âge de nos enfants respectifs au moment de leur disparition, d'abord. Dix-neuf ans. Et puis leur envol en plein cœur de l'été. Juillet pour moi, août pour lui. Brel chantait :

— *C'est dur de mourir au printemps !*

Je crois que c'est bien pire en été. Je me souviens de l'enterrement de mon fils en plein soleil, le 18 juillet 1990, dans le petit cimetière de Juillac. Pour moi, comme une insulte météorologique. Si chaud dehors et si froid dedans. Avec les éventails de secours qui faisaient plus ressembler les participants à un public de corrida qu'à une assistance d'obsèques. Je me suis même surpris à me dire que le taureau, c'était moi, et les rayons de soleil des banderilles. Ce temps resplendissant a d'ailleurs été à l'origine d'une autre phrase inoubliable. L'observation incongrue d'une punaise de bénitier. Tu sais, ces pleureuses occasionnelles qui ne trouvent leur propre réconfort qu'en chialant sur le chagrin des autres. Au moment des condoléances devant le cercueil, elle m'a dit :

— *C'est moins triste quand il y a du soleil. C'était un bel enterrement !*

Ma réplique du tac au tac l'a fait sourire. Y avait-il de quoi ? J'ai murmuré, désabusé :

— Ça existe, un bel enterrement ? Un bel enterrement, c'est quand le mort soulève le couvercle et qu'il dit « coucou, je vous ai fait une blague ! »

Pour en revenir à Serrault, outre la perte de notre enfant, nous avions un autre point commun. Le fait que nous sommes montés sur scène le soir même. Pour la survie, comme je te l'ai déjà expliqué. Frères de planches. Ces planches multiples qui nous permettent, pour une heure et demie d'oubli, de faire le show malgré le froid. Et les autres planches. Les pires. Les quatre qui enferment nos mômes pour bien plus qu'une heure et demie.

Avec une circonstance aggravante pour lui. Sa fille avait été tuée dans un accident, heurtée par des chauffards. Des mômes poursuivis par la police dans le bois de Boulogne alors qu'ils étaient partis à la « chasse aux travestis ». Une ironie du sort pour Michel qui jouait justement un travesti dans *La Cage aux folles* au théâtre. Tu imagines le courage hors norme qu'il lui a fallu ce soir-là et les jours d'après ? La force incommensurable pour, à chaque représentation, se glisser dans la peau de la réplique d'un de ceux qui étaient malgré eux responsables de la mort de celle qu'il aimait le plus au monde.

Et puis, il y avait entre nous un dernier point commun bien plus lointain et tout aussi troublant. Michel était profondément croyant. Il était même entré au petit séminaire avant de choisir la voie artistique. La vocation lui était venue lorsqu'en 1940 ses parents l'avaient expédié dans une famille en Corrèze, à Argentat. Il y était devenu enfant de chœur. Dieu doit avoir un sens aigu des destins croisés par petits serviteurs interposés. Parce que moi aussi, j'ai été enfant de chœur à Argentat dans les années soixante. Drôle de synchronicité pour deux hommes de spectacle à qui Dieu a repris leurs enfants dans les pires conditions qu'il soit. Étrange karma commun dont nous avons longuement parlé dans ma loge, le soir où il m'a fait l'honneur d'être le parrain du *Plus Grand Cabaret du monde.*

Dieu s'est invité dans la conversation, évidemment. Michel Audiard aussi, qui avait également perdu un enfant et dont la foi s'était immédiatement éteinte. Et j'ai évoqué ces cierges inutiles qui se consument dans toutes les églises du monde et dont ceux qui les ont mis prennent le retour de flamme. Nous avons parlé de l'île d'Haïti, un des endroits de la planète les moins épargnés par les catastrophes météorologiques et humaines. Et pourtant, un des pays où la foi est la plus tenace. Pour Michel, ce n'était pas antinomique. Bien au contraire. Malgré le drame, sa foi était intacte. Salvatrice même. Chacun ses béquilles. Il m'avait dit :

– Dieu n'est pour rien dans nos malheurs. Mais il est indispensable pour nous aider à les surmonter !

Nous avons évoqué encore et encore chacune de nos brûlures communes. En étant parfaitement d'accord sur le fait que toute gaudriole servait de Biafine. Toutes ces clowneries délirantes qu'on applique en cataplasme. Tant il est vrai que, dans nos métiers, les comiques meurtris ont tendance à outrer encore plus le trait. Histoire de lancer des tartes à la crème à la gueule du destin. On a parlé aussi de notre calendrier intime où chaque jour est marqué d'une pierre noire. La Toussaint perpétuelle. C'est lui qui m'a cité cette phrase de Brassens que je ne connaissais pas. Si juste :

– *La fête des Morts, c'est tous les jours.*

Et puis, on a comparé les nuits blanches striées de sombre que nous seuls connaissons. On a aussi comparé nos ressacs. Ces vagues de souvenirs qui viennent nous heurter à espaces réguliers. Et qui repartent. Et qui reviennent. Nos marées noires. Avec leurs pics de turbulences les jours anniversaires et les nuits de Noël. Et, bien entendu, nous avons déploré la lacune du vocabulaire français qui nous prive d'une appellation particulière. Quand on perd un parent, on est orphelin. Un conjoint, on est veuf ou veuve. Mais quand on perd un enfant, il n'y a pas de mot. C'est vraiment le cas de le dire :

– *Y a pas de mot !*

Nous avons terminé la conversation en évoquant la pire de nos logistiques. Le point sur la carte de France ou d'ailleurs. Celui que tous les endeuillés maudissent : le lieu du décès. Certains l'évitent à tout prix. D'autres en font un but de pèlerinage. Ça a été mon cas pendant longtemps. Un moment de célébration nocturne, chaque 15 juillet, assis seul dans l'herbe du terre-plein de la route de la petite Camargue où la vie de mon gamin avait fini sa course. À la fois douloureux et réconfortant.

Une illusion de devoir de mémoire. Parce qu'il n'y a personne, bien sûr. Ni au cimetière d'ailleurs.

J'ai aussi expliqué à Michel que je revenais régulièrement dans l'hôtel dans lequel j'avais appris la nouvelle. Pour ne pas diaboliser. Désensorceler l'endroit. Hélas pour lui, le bois de Boulogne restait la forêt la plus sombre du monde. Il a quand même conclu avec la petite pointe d'humour noir obligatoire. La pirouette. Le nez rouge.

— *Ce qu'il y a de terrible, c'est qu'on connaît le lieu du drame où on a perdu ceux qu'on aimait. C'est le pire des repères. Il vaut mieux perdre ses clés, au moins on ne sait pas où !*

LES CHEMINS DE LA LIBERTINE

(*Les Chemins de la liberté.*
Peter Weir. 2010)

Le libertinage. Le soi-disant honteux. Le prétendu pervers. Celui dont on ne parle qu'à mots couverts. Sauf dans les émissions de télé de fond de soirée. Question d'Audimat. De « mate » plus que d'« Audi », d'ailleurs. À travers des reportages pour voyeurs sur le sable du cap d'Agde sous prétexte d'ethnologie naturiste et écologique. La belle hypocrisie ! Les habitués de ces lieux sont plus des enfants de Rocco Siffredi et Clara Morgane que de Cécile Duflot et Yannick Jadot.

Alors, le libertinage, une sale manie ? Une perversion ? Une dégénérescence ? Ah, non ! C'est un peu court, jeune homme ! Le libertinage est bien plus complexe que ça. Il ne se limite pas à un empilage grotesque de corps en rut. C'est une philosophie de vie. Ses adeptes sont bien plus nombreux qu'on le croit. Mais comme l'anonymat et la discrétion sont les piliers de ses valeurs, on a bien du mal à les répertorier.

Des centaines de personnages célèbres étaient libertins. Des légendes. Statufiées. Molière était libertin. La Fontaine aussi. Je te laisse déceler tous les non-dits qui parsèment les fables qu'on a tous ânonnées quand on était gamins. Le libertinage, c'est d'abord le respect de l'autre. C'est le partage. C'est une société secrète où personne ne juge personne. C'est du plaisir entre individus adultes consentants. Jugé délétère par de bonnes âmes de surface parfois si perverses en sous-main. C'est une de mes interrogations favorites :

— *Où est le vice ? Où est la vertu ?*

J'aime le peuple libertin. Bien moins pour ses vices que pour ses vertus, d'ailleurs. Il me rassure sur la nature humaine. Parce que riches, pauvres, beaux, moches, érudits, incultes s'y mélangent sans aucun a priori. Sans tabous, bien sûr. Mais surtout sans ces jugements péremptoires dont la société nouvelle nous inonde. La plus belle vertu du monde libertin est certainement, comme je te l'ai dit plus haut, le respect. Parce que, sans lui, les outrances ne seraient que des mélanges de porcheries. Par bonheur, ce n'est que très rarement le cas.

Il m'arrive parfois de faire une halte dans La Mecque du libertinage au cap d'Agde. Seul. En touriste. En curieux. J'y ai noué de belles amitiés. Patrick, le veilleur de nuit de l'hôtel Ozin où je séjourne, est une vraie belle âme. L'hiver, à la morte-saison, il part en Afrique former des rangers. C'est un homme de force et un homme de cœur. Riche de sa vie de baroudeur, on passe de longues heures à palabrer, philosopher, observer. À les regarder passer. Raccords avec ses parenthèses africaines. À demi-nus comme des indigènes de tribu. Cette tribu de libres et de sauvages affublés de la parure sexy du rituel ambiant.

La faune de nuit en été au cap d'Agde est surréaliste. Chaque fausse nudité excentrique est un spectacle. Chaque conversation de hasard avec les « dévoyés joyeux » qui passent est un bain de fraîcheur. Des mots transparents comme leurs habits. Pas de faux-semblants. Des rires, des audaces, des vérités. Et puis des confessions, des absolutions, des prières pour que le monde soit plus libre, plus tolérant, plus généreux. Vingt dieux, la belle Église !

Des phrases inoubliables, il y en a eu tant. Osées, indécentes. Nul besoin de les rapporter là in extenso. On s'affalerait dans le grossier et ce n'est pas le but. J'en ai quand même extrait deux un peu plus convenables. Enfin, je veux dire, sans mots crus. D'abord celle de la directrice d'une résidence libertine. Un de ces lieux de communauté érotique où le jacuzzi tient lieu de terrain de jeux. Avec des baignades de groupe où en guise de sport nautique on sacrifie la brasse aux embrassades. Et bien plus. Au point qu'à la fin de la fête, l'eau, même bouillonnante, est chargée des « souvenirs multiples » des étreintes. Ce que la directrice m'a exprimé par une métaphore charmante à défaut d'être hygiénique :

— *Si je trempe la main dans le jacuzzi, je tombe enceinte !*

Et puis, beaucoup plus représentatif du fondement de l'esprit libertin, la confession d'un homme abattu, détruit. Depuis des années, il venait en couple avec son épouse qu'il partageait allègrement au gré des rencontres. Il était arrivé que, parfois, elle s'offre devant ses yeux à plusieurs hommes. Il en était ravi, puisque c'est le principe. Un principe qui exclut toute infidélité au-delà des jeux décidés d'un commun accord et toujours en présence de l'autre. Je sais que c'est difficile à comprendre pour un couple lambda éloigné de ce genre de dérive, mais c'est ainsi. Et, même si ça te paraît incroyable, c'est souvent la marque d'un amour absolu. Comme me l'avait résumé un pratiquant appliqué.

— *L'amour avec un grand tas n'empêche pas l'amour avec un grand A !*

Et c'était bien le problème pour l'homme abattu. Son épouse venait de commettre l'irréparable pour lui. Elle l'avait quitté pour un autre et avait abandonné définitivement le libertinage. L'homme en pleurait de douleur. Tu imagines le paradoxe ! Il exultait quand elle se donnait à plusieurs et là, il souffrait mille morts parce qu'elle avait choisi de n'appartenir qu'à un seul. Au-delà de l'anecdote, on peut en tirer des conclusions qui vont bien plus loin qu'une simple contrariété de prétendus pervers.

C'est Denise, mon amie très intime, la légende libertine ancienne patronne du mythique club 41 à Paris, qui m'a donné la morale de l'histoire. Une analyse sociologique qui vaut ce qu'elle vaut. Mais je t'engage quand même à l'analyser en ton âme et conscience et sans a priori.

Denise m'a expliqué que cette anecdote était significative au plus haut point de la réalité de nos rapports amoureux au sens large. Pour elle, le véritable amour, ce n'est pas la possession. C'est être heureux du plaisir de l'autre même en dehors de soi. Exactement la philosophie libertine. Ce que l'homme blessé n'acceptait pas, c'était que ce ne soit plus lui qui décide. Il était bien plus touché dans son ego que dans son attachement. Et elle m'a délivré cette phrase en guise de conclusion :

— Le chagrin d'amour n'existe pas. C'est avant tout un chagrin d'amour-propre !

Réfléchis bien. Même si cela touche un domaine qui t'est totalement étranger, rapporté à ton quotidien exclusif, ce n'est peut-être pas si idiot que ça.

Allez, on en revient à du plus aérien pour conclure. Avec une phrase significative de l'insouciance locale. Cette phrase, je l'ai entendue au matin de mon deuxième jour de séjour à l'hôtel Ozin. Le premier matin, en arrivant à la réception, j'avais assisté à une performance musicale étonnante. Dans le hall déambulaient quelques personnes, toutes habillées. Et assis à un piano, un vieil homme totalement nu qui jouait consciencieusement du Mozart. Ce petit bonhomme appliqué qui pianotait dans le plus simple appareil, les yeux fermés, au milieu du personnel en tenue et des livreurs, m'avait interpellé.

Le lendemain, il n'y était plus. Je me suis approché de la réceptionniste, le sourire aux lèvres. Je n'ai pas pu m'empêcher de partager avec elle mon étonnement de la veille en lui disant :

— *J'ai pas rêvé ? Hier, il y avait bien un petit vieux tout nu qui jouait du piano à dix heures du matin ?*

La réponse a été magnifique. La jeune fille a baissé les yeux, presque honteuse, et elle a lâché la sentence :

— *Ouh là, là, je sais ! On lui a dit d'arrêter…*

Elle a pris un temps, et elle a ajouté pour la justification :

— *… Il jouait trop fort !*

PARABOLE DE FLIC

(*Parole de flic*. José Pinheiro. 1985)

Quand je pense que j'aurais pu être flic !

J'avais passé le concours d'inspecteur en 1972. Non par vocation, mais par nécessité. Le moyen d'avoir un boulot tranquille pour nourrir ma jeune famille et d'ajouter à ça la possibilité de jouer dans l'équipe de France de rugby de la police. J'ai échoué d'un point. À quoi tient une destinée ? Avec une remarque intéressante, tout de même. À l'épreuve de français du bac, j'avais eu 17 à l'oral et 17 à l'écrit. À la dissertation du concours de flic, j'ai eu 3. Ça ne doit pas être le même français. Je crois surtout que plus que la forme, c'est le fond qui a dû les dérouter. Une pensée anarchiste et libertaire, ça ne va pas trop avec l'insigne et les procès-verbaux.

Des phrases inoubliables de flics, j'en ai entendu des dizaines et des dizaines. Et contrairement à ce qu'on peut croire, elles n'étaient pas toutes empreintes de la bêtise primaire qui abreuve par tradition les caricatures des représentants de l'ordre. Ces garants de la protection que Coluche a si bien immortalisés avec son fameux :

— *Les gardiens de la paix, au lieu de nous la garder, ils feraient mieux de nous la foutre !*

Plus loin, je te raconterai la circonstance qui offrira à Maman l'occasion de prononcer à son tour une phrase inoubliable qui mérite bien sa place ici. Mais, pour l'instant, je vais t'en offrir quelques-unes assez représentatives de l'esprit des défenseurs de la loi. Les unes qui démontrent leur légendaire stupidité, et les autres leur extrême lucidité. Encore une fois, rien n'est noir, rien n'est blanc.

La première a été prononcée par un agent qui assurait la sécurité à l'entrée d'un spectacle. C'était en 1976. Je passais en première partie de Michel Sardou au Plan-de-la-Tour, dans le Var. Ma gloriole était encore timide. J'étais à peine connu, et lorsque je me suis présenté à l'entrée des loges, le gendarme m'en a interdit l'accès.

— *On ne passe pas !*

J'ai argumenté :

— *Je m'appelle Patrick Sébastien. Je chante en première partie du spectacle de Michel.*

Il s'est entêté :

— *Désolé, mais je ne vous connais pas.*

Alors j'ai insisté et insisté encore. L'homme était intraitable. Mais intraitable du Sud. Alors il a fini par céder devant mon entêtement. Avec cette phrase dont j'exhorte tous les scientifiques du monde spécialisés dans la téléportation à tenter de m'expliquer le bien-fondé :

— *OK ! Je vous laisse passer. Mais si je ne vous retrouve pas, je vous fais chanter quelque chose !*

Des flics, j'en ai croisé beaucoup. Sur les routes, dans mes spectacles. Répertorier leurs phrases chocs demanderait un livre entier. Je vais m'arrêter aux plus récentes. Celle qui suit date d'il y a quelques jours seulement. À cause d'un très léger excès de vitesse, je m'étais fait arrêter par deux motards. Ceux que mon ami Yves Pujol appelle les « 421 » :

— *4 jambes, 2 casques, 1 cerveau !*

Réducteur, bien sûr. Mais ça fait partie du folklore humoristique national. On bouffe du flic, comme dans le temps on bouffait du curé. Il faut bien s'adapter. Les églises se vident et les carnets de contraventions se remplissent. Pour en revenir à mes deux motards, j'ai eu la chance de tomber sur des sympas. Bon, d'accord, la célébrité aide à la clémence. Mais pas toujours. J'y reviendrai plus loin.

Là, j'ai eu droit à l'indulgence. Il faut dire que l'infraction était minime. Ça s'est terminé par un échange de photos. Celle du radar contre un selfie. Un classique.

Et puis on a parlé. De mon éviction du service public, bien sûr. Le plus âgé des deux m'a assuré de sa solidarité en la circonstance. Avec une délicatesse agrémentée d'un accent prononcé des Bouches-du-Rhône, il a laissé tomber une sentence poétique qui sentait bon le thym, la lavande, et le Casanis de midi :

– *C'est tous des « inculés » !*

L'autre a renchéri avec une analyse dans laquelle il m'a semblé déceler une pointe d'homophobie. À moins qu'il ne se soit agi d'un hommage masqué au merveilleux film animalier *La Marche de l'empereur*. Il a balancé, à la fois rigolard et contrarié :

– *De toute façon, comme dit mon frère, à la télé, c'est la banquise. Y a que des phoques ! À part Drucker, toi, Delahousse et Claire Chazal, ça manque de vrais mecs !*

Magnifique ! Voilà pour le *Who's who* cathodique version gendarmerie nationale. Un vrai cadeau de la providence pour un auteur en pleine création. J'ai continué la conversation en leur confiant que, justement, j'étais en train d'écrire un livre de phrases chocs. Celle que je venais d'entendre me paraissait digne de figurer dans mes écrits. J'ai demandé à l'auteur la permission de la retranscrire. Ce fut l'occasion d'en cocher une autre :

– *D'accord, mais tu ne dis pas mon nom de famille. Tu ne le connais pas, mais on sait jamais !*

J'étais gâté. À tout hasard, j'ai demandé s'ils n'avaient pas une autre réplique pour moi. Une réflexion de contrevenant, ou une énormité d'un supérieur hiérarchique. C'est à ce moment-là qu'un appel radio leur a demandé de se rendre sur les lieux d'une autre infraction. Les cow-boys de l'A9 ont immédiatement enfourché leurs montures. Je me suis dit que la pêche avait été bonne et que j'avais de quoi noircir une page de mon livre. Mais il ne faut jamais sous-estimer le génie créatif des humoristes involontaires. Et surtout le dieu de la Vanne qui veille sur nous, pauvres auteurs en demande de matière première.

Je regardais s'éloigner les motos, quand soudain, oh miracle ! l'une d'elles a rebroussé chemin et est venue s'arrêter à ma hauteur. Un remords ? Une volte-face de conscience professionnelle pour m'aligner après réflexion ? Non. Juste quelques derniers mots de solidarité. Le petit bonhomme en bleu s'est penché à ma portière pour me donner un ultime conseil de prudence en deux parties.

La première m'a touché :

— *Fais quand même gaffe à pas rouler comme un fou. La télé n'a peut-être plus besoin de toi, mais nous, oui…*

La deuxième m'a ravi :

— *Si on t'enlève le permis, c'est pour quelques mois seulement. Si t'es mort, c'est pour la vie !*

Merci qui ? Merci la police de la route !

Les prochaines phrases policières inoubliables que je vais te rapporter sont bien moins amusantes. D'abord celle d'un ami qui a quitté la gendarmerie parce qu'il ne supportait plus d'être obligé d'annoncer à une famille la mort accidentelle d'un des leurs. Le sale boulot de messager ! Avec le désespoir immense des proches à encaisser, et souvent une lancinante sensation de culpabilité. Parce que c'est une loi de la détresse humaine en cas de deuil : on en veut toujours au facteur qui apporte le faire-part. Avec la pire réaction que mon ami ait eue à subir. Il était venu annoncer à une mère la mort de sa fille dans un accident après une sortie en boîte de nuit. Elle s'est écroulée, et après un flot de sanglots, a hurlé, le regard plein de haine :

– *Vous étiez où pour l'empêcher de rouler vite ? C'est vous qui l'avez tuée !*

Inoubliable et insoutenable.

La toute dernière phrase, je l'ai entendue à l'occasion d'un spectacle à Châlons-en-Champagne. Dans les coulisses, le policier avec lequel je m'entretenais était jeune. Brillant. C'est pour cela que la conversation a très vite glissé sur la sécurité en général. L'époque post-attentat du Bataclan était tendue. Et les rapports avec la police avaient changé. Bouffer du flic était moins à la mode. Même Renaud qui était passé la veille sur la scène où j'allais me produire avait fait une chanson dans laquelle il avait avoué en avoir embrassé un.

Alors on a disserté sur la fonction. Les abus, les risques. Le jeune flic m'a expliqué le manque de respect grandissant. Le n'importe quoi dans les quartiers. Les pompiers caillassés. L'impunité. Et bien sûr la compromission hiérarchique. Cette hiérarchie bien forcée, politique oblige, d'adapter ses réactions en fonction du climat ambiant. Se défendre, mais pas toujours. Attendre les ordres pour répliquer, quel que soit le degré de gravité de l'attaque. Et la frustration d'être payé pour faire un boulot qu'on ne peut pas faire vraiment. J'ai demandé :

— *Si tu es vraiment menacé de mort, mais qu'on t'impose de ne pas riposter, au risque de te retrouver au tribunal, tu fais quoi ?*

La réponse a été claire. Son choix était fait entre la barre des accusés et la tombe des sacrifiés. Je te laisse l'analyser à ton gré. Il m'a dit droit dans les yeux :

— *Je tire. Je préfère être jugé par neuf que porté par six !*

IL ÉTAIT UNE FOIS DANS LE SUD-OUEST

(*Il était une fois dans l'Ouest.*
Sergio Leone. 1968)

Religion incarnée du Sud-Ouest, le rugby regorge de phrases inoubliables. C'est dans ce rugby que j'ai puisé l'essentiel de mon goût pour la fête et la bonne humeur. Que de répliques à brûle-pourpoint ! Que de saillies de comptoir au cours des dizaines de premières, deuxièmes et surtout de troisièmes mi-temps auxquelles j'ai participé ! Et au milieu de ça, que de tendresses de grands gosses. Que de larmes les soirs de défaite ! Je connais peu de spectacles aussi pathétiques que les sanglots d'un Hercule au visage fracassé serrant dans ses bras un autre mastodonte éploré.

La légende colporte des centaines de reparties réelles empreintes d'un réalisme indiscutable. Bien souvent alimenté par une culture primaire prétexte à des métaphores de légende. Pour débuter, celle d'un entraîneur bien de chez nous qui exhortait ses troupes à ne surtout pas redouter l'équipe d'en face :

— *Pas question d'avoir la trouille ! Vous êtes un homme comme eux. Vous avez quatre jambes et quatre bras comme eux !*

Ou encore cette phrase de Walter Spanghero qui s'était fait exploser la cloison nasale par un méchant coup de poing :

— *Si j'avais pas eu le nez, le marron, je le prenais en pleine gueule !*

Et aussi toutes celles, bien plus fines, du grand Amédée Domenech, le Briviste. Un extraterrestre. Pilier de l'équipe de France. Cinquante-deux sélections. Le plus folklorique de tous les rugbymen de légende. Surnommé « Le Duc ». Auquel la noblesse de son physique et l'acuité de sa faconde servaient d'appât à conquêtes. Les plus belles parmi les plus belles avaient succombé. Jusqu'à la splendide Kim Novak, star américaine, qu'il avait trimballée si fier dans les rues de Brive-la-Gaillarde.

Parenthèse tout à fait personnelle : certains prétendent que ce monument du sport et de la plaisanterie serait mon géniteur. C'est vrai qu'il y a une certaine ressemblance physique. Et une autre tout autant criarde pour le goût de la conquête, du fantasque et de l'irrévérencieux. Il se trouve, en plus, que son neveu qui me ressemble beaucoup a choisi comme profession d'être un de mes sosies officiels. Alors, bien sûr, ceci alimente cela. À titre personnel, j'en reste à la parole de Maman sur laquelle elle n'est jamais revenue. Elle a reconnu qu'elle avait eu une belle aventure avec lui, mais elle m'a toujours juré que ce n'était pas mon géniteur. Je t'avoue que, pour une fois, j'adorerais qu'elle m'ait menti. Fin de la parenthèse.

Je connais cent répliques de concours sorties de la bouche du « Duc ». Il faut dire qu'il en avait fait une spécialité maison. Toujours en représentation. Un artiste quoi ! Au point qu'il tournera même au cinéma dans un *OSS 117*. Ma préférée est celle qu'il a prononcée en plein match international contre l'Afrique du Sud. Elle est simple. Imparable. Inoubliable. Surtout pour celui à qui elle était adressée. Le pilier d'en face qui avait le désavantage d'être borgne. Il lui a expédié un énorme coup de poing dans l'œil valide qu'il a fait suivre de cette « amabilité » de classe internationale :

– *Good night !*

Le rugby m'a sculpté. Physiquement d'abord. Il m'a anobli la carcasse. Je porte mes anciennes blessures en armoiries. Apophyse fracturée, arcades ouvertes, côtes cassées, foulures, entorses et contusions multiples sont autant de souvenirs de faits d'armes dont je suis plus que fier. Parce que la vie, c'est d'abord apprendre à souffrir. Et ce sport-là est une école magistrale pour ça. D'accord, il arrive parfois que mes vieux os grincent et que les articulations se bloquent. Mais pas plus qu'un autre. De toute façon, tu connais la phrase :

– *Après cinquante ans, si tu te réveilles et que tu n'as mal nulle part, c'est que t'es mort !*

Le rugby m'a surtout sculpté l'âme. Il m'a appris le vrai courage, la solidarité, le partage. Gagner sans mépriser celui qu'on a vaincu. Perdre sans geindre. Il m'a aussi fait croiser le chemin d'hommes merveilleux. Bien loin des brutes épaisses au front bas qui ont alimenté depuis plus d'un siècle la caricature. L'aphorisme le plus célèbre ayant trait au rugby affirme : « C'est un sport de voyou pratiqué par des gentlemen. » Ce n'est pas toujours vrai. Mais suffisamment souvent. Pour moi le rugby est le sport roi. *God save the kings !*

Et puis il y a l'humour, bien sûr. Toujours à cheval entre la trivialité et la finesse. En particulier, celui que m'avait enseigné le génial Jacques Fouroux, l'entraîneur en chef, à l'occasion d'un match où j'avais accompagné l'équipe de France à Cardiff. Il m'avait donné la clé pour répliquer à un supporter gallois au cas où un coup de pied de pénalité gagnant le ferait exulter en me lançant des invectives narquoises. Il m'avait expliqué comment l'insulter mais avec élégance et dans sa langue. En faisant semblant de m'extasier sur le talent du buteur avec la traduction littérale de « Quel joli pied ! » :

— *What a fair foot !*

Je l'ai fait. Et le supporter gallois que je venais de convier phonétiquement à aller se faire foutre m'a gratifié d'un généreux :

— *Thank you, sir !*

Tout ce qui touche au rugby reste pour moi inoubliable. Bien sûr que je ne peux pas oublier le hurlement de Pierre Albaladejo au micro du commentaire de la finale de la coupe d'Europe en 1997. Celle qui opposait Leicester à Brive, dont j'étais le président :

– *Brive est champion d'Europe !*

Rien que de l'écrire, celle-là, ça me donne le frisson. Que veux-tu ? Je suis un hyper nostalgique. Un gosse né avec un cœur formé par deux ballons ovales qui se touchent par la pointe. Un môme qui rêvait de passes croisées, de bouclier de Brennus, de Tournoi des cinq nations. C'est d'ailleurs à l'occasion d'un match du tournoi que j'ai entendu ma réplique inoubliable préférée en référence à ce sport. Elle va bien au-delà du rugby au point de claquer dans ma tête chaque fois que je m'efforce de ramener mes succès à leurs justes proportions.

Dans les années quatre-vingt, j'avais été invité dans les vestiaires du Parc des Princes après un match légendaire du quinze tricolore. Une belle victoire où Sam Revallier, un deuxième ligne ami, avait fait une prestation remarquable. Le vestiaire sentait la sueur, le sang, le camphre, la joie. Ces odeurs d'hommes, de vrais, qui étaient allés au-delà de leur courage. Un petit bonhomme s'est approché du banc sur lequel je m'étais assis pour congratuler Sam le colosse. C'était son fils à qui on avait donné la permission d'aller féliciter son papa. Je m'attendais à ce que Sam lance à son gamin :

— *Alors, fier de ton père ?*

Ce ne fut pas le cas. L'enfant s'est avancé. Il a serré très fort l'Hercule au visage cabossé dans ses bras. Sans un mot et les larmes aux yeux. Fier, si fier. C'est la première phrase de Sam à son fils que je garde toujours en mémoire. À ressortir les jours d'orgueil égoïste. Les jours où, aveuglés par nos importances d'adultes, on oublie de se pencher sur celles de nos enfants. Sam a regardé son petit longuement dans les yeux et lui a demandé le plus sérieusement du monde :

— *Tu as fait tes devoirs ?*

L'ORAISON DU PLUS FOU

(*La Raison du plus fou.*
François Reichenbach.
(Avec Raymond Devos). 1973)

Une fois n'est pas coutume, une blague pour commencer. La première qu'on m'a racontée quand j'avais huit ans. Celle qui a façonné mon goût pour un certain humour. Pas le primaire bien gras comme tu pourrais le croire. Bien au contraire. La preuve : c'est un fou qui tient une lampe torche allumée dans la main et qui dit à un autre fou qu'il n'est pas capable de monter à cheval sur le rayon de lumière qu'elle émet. L'autre fou relève le défi et commence à lever la jambe pour s'installer. Et d'un coup, il se ravise en disant :

— *Ah non ! Je te connais ! Tu vas éteindre et je vais me casser la gueule !*

Elle était stupide, absurde, mais elle m'a fait rire aux éclats. C'est juste pour t'expliquer que je suis un enfant de cet humour-là. Un aficionado du non-sens. Accroc comme à une drogue dure. En guise de produits stupéfiants, j'ai passé mon adolescence à m'injecter du Mel Brooks et du Monty Python jusqu'à l'overdose. Et bien évidemment j'ai ingurgité tous les textes de Raymond Devos. Pour moi, l'idole absolue parmi les humoristes. C'est te dire si j'ai été fier de pouvoir partager avec lui, par la suite, de nombreux moments de complicité. J'ai eu la chance de croiser souvent le gros monsieur fantasque et illuminé. Avec ce mystère de l'apesanteur : comment, en dépassant le quintal, peut-on paraître aussi léger et aérien sur une scène ? Peut-être grâce aux mots ballons de baudruche qui faisaient balancier pour le génial funambule en équilibre sur le fil de l'absurde.

Avant de m'arrêter sur Raymond Devos, un petit aparté. Son gros ventre fait résonner en moi une phrase que l'on m'a dite pas plus tard qu'hier. Elle est d'un ami à qui j'ai tapé sur la brioche en lui faisant remarquer qu'elle avait pris du volume. La réplique a été instantanée. En tapant à son tour sur la bosse de son ventre, il m'a lancé, rigolard :

— *Il vaut mieux l'avoir devant que dans le dos !*

Elle avait bien sa place ici, celle-là ! Au moins, pour qu'à l'occasion, si on te chambre sur ton embonpoint, tu puisses la replacer. Merci qui ?... Mais revenons au grand Devos qui me manque tant. Tu vas certainement me trouver encore nostalgique à l'excès, mais j'avoue que j'ai un peu de mal avec la multitude actuelle de prétendus comiques déclarés. Pour moi, les « rigolow cost ». Deux vannes de comptoir ou de quartier, et les voilà parachutés humoristes professionnels. Micro à la main, ils déambulent d'un côté à l'autre de la scène en balançant un collier de punchlines, drôles parfois certes, mais qui ne m'embarquent pas plus loin que le fauteuil dans lequel je suis assis.

Avec Raymond, je voyageais. Dans son imaginaire. Dans le mien. C'était un clown assumé. Sans la connotation péjorative qu'on accole souvent, à tort, à ce métier d'enchanteur. J'ai eu le plaisir d'assister à son spectacle une dizaine de fois. Et chaque fois, je me suis fait embarquer. Avec un petit plus, un soir, au théâtre de Rueil-Malmaison. Au milieu de son spectacle, il a fait un aparté pour me saluer :

— *Patrick Sébastien est avec nous ce soir. Ce garçon est formidable. Il est fort. Il est très fort. Ses imitations peuvent atteindre un niveau exceptionnel. La preuve, c'est que depuis le début du spectacle, c'est moi qui suis assis dans la salle et c'est lui qui est sur scène !*

Merci du cadeau, mon maître !

Ça, c'est de la réplique de clown gai, de show man. Et le clown triste alors ? Puisqu'il est de tradition qu'une fois le rideau fermé, nous soyons des angoissés, des taciturnes, nous, les faiseurs de rire. Ça n'est pas toujours le cas, mais ça l'est souvent. Et c'est bien normal. Ne serait-ce que par contraste. Quand un individu exerce un métier courant sans joie apparente, son comportement ordinaire sans excès de convivialité dans la vraie vie ne paraîtra pas incongru. Mais pour le clown, la normalité passe pour de la tristesse. Combien de fois nous a-t-on soupçonnés de faire la gueule, juste parce que nous n'avions pas un sourire permanent aux lèvres ?

Cependant, il est vrai que notre tristesse est un peu plus chronique que chez le tout-venant. Pour faire rire, on se déprécie souvent, on se ridiculise en scène. Nous, on sait bien que c'est un jeu, un rôle. Mais on ne peut pas empêcher certains d'assimiler définitivement la personne au personnage. Alors, ça nous coûte évidemment. Même si on ne l'avoue pas. Tu la connais, la réplique populaire :

— *Qu'est-ce qu'il me fait rire, ce con !*

C'est amical, bien sûr. Admiratif même. Mais tout au fond de nous, il subsiste une petite trace de mépris aimable. Toujours. C'est ça, notre tristesse la plus inavouable. Quant aux autres tristesses, ce sont celles de nous tous. Nos chagrins d'argent, d'amour ou d'amitié. Mais que nous avons l'interdiction formelle de dévoiler en public sous peine de passer bien plus que d'autres pour les ronchons de service. C'est pour cela que, pour être raccord avec les métaphores du maître, la phrase qui va suivre n'avait pas sa place dans la grande maison du théâtre. Juste dans un petit pavillon. Celui de mon oreille.

Raymond m'a dit cette phrase dans la coulisse d'une émission. Ce n'est pas une réplique qui claque. Juste un constat qui résonne souvent en moi quand je vois s'égrener bien trop rapidement les jours qui passent. Il venait de perdre son épouse. On a évoqué justement ce temps qui s'enfuit à une vitesse folle. Et d'autant plus vite qu'on s'approche de la fin. Je lui ai dit qu'il devait être bien malheureux. Le clown triste m'a juste lâché, d'abord, l'œil passionné :

— *Ce qui me rend triste surtout, ce sont les mille projets que j'ai en tête...*

Et, ensuite, l'œil mélancolique :

— *... et de savoir que je n'aurai pas le temps de les réaliser.*

Il a eu un regard d'une infinie tristesse et s'est affaissé, comme s'il rentrait en lui-même. Et d'un coup il s'est redressé. Il a éclos de nouveau. Comme un papillon qui jaillit de sa chrysalide. Et il est parti dans un délire lumineux sur la mort. En se moquant d'elle comme pour la dédiaboliser. Il m'a dit en introduction :

— *Je n'ai pas peur d'elle. C'est elle qui devrait avoir peur de moi. Je suis bien trop vrai pour qu'elle m'achève à coups de faux !*

Et puis il m'a embarqué dans un festival de jeux de mots et d'absurdités sur nos destinations *post mortem*. En déplorant d'abord le peu de choix que nous laissait le dépliant de la Bible. L'enfer, le purgatoire ou le paradis. La Costa Brava, la Thaïlande et les Caraïbes lui paraissaient plus alléchantes. En tout cas bien plus qu'un bout de ciel, assis sur un cumulus inconfortable susceptible de nous renvoyer sur terre en averses de grêle si peu qu'on boive trop frais. Son délire mystico-poétique a aussi émis l'hypothèse d'un régime de faveur pour le musicien qu'il était. En lui donnant le privilège de pénétrer le royaume des cieux par « l'entrée des harpistes ».

Et il a conclu en me parlant des constellations. De la Voie lactée à laquelle on devrait adjoindre une voie de café pour y tremper les croissants de lune. Et puis, il a attribué à des célébrités des endroits du ciel où passer leur éternité. Mimie Mathy sur une étoile naine, Brigitte Bardot sur la Grande Ourse, et, bien évidemment, Agatha Christie sur l'étoile polar.

Quant à lui, il avait choisi sa planète :

— *J'aimerais aller sur Mercure. Au moins, je suis sûr qu'il y aura un hôtel !*

LILY, MA REINE

(*Lily Marleen.*
Rainer Werner Fassbinder. 1981)

Chacun son sens particulier de la paternité. Il y a les pères aimants, les sévères, les doux, les tyranniques, les hyper protecteurs, les absents. J'en ai même connu un totalement indifférent à sa descendance. Un soir, il m'a lancé, rigolard :

— *Les enfants, le meilleur moment, c'est quand on les fait !*

Moi, j'ai plutôt été un père absent, hélas ! Un « papaoutai ! ». Comme souvent le sont les artistes. Sans cesse en tournée par monts et par vaux. De retour à la maison plus en ville étape qu'en villégiature. Ça n'a jamais altéré l'amour que j'ai porté à mes enfants. Le leur a dû s'accommoder. C'est certainement ma plus grande culpabilité d'artiste.

Avec le temps, ça s'est un peu arrangé. Surtout depuis l'arrivée de Lily, ma petite tahitienne adoptée. Ma fleur de tiaré. On est allés la chercher à Papeete, à quinze mille kilomètres de notre maison. Alors que mon géniteur, dans mon village, n'a pas daigné venir me chercher à quinze mille centimètres de la sienne ! Cent cinquante mètres. Quand je te disais que chacun a un sens très particulier de sa paternité !

Cette absence de géniteur connu est un des points communs que je partage avec ma princesse des îles. Nous en avons beaucoup d'autres. Au point que de tous mes enfants, c'est sûrement elle qui me ressemble le plus. Et pourtant, c'est ma seule fille, elle n'est pas de moi, et elle vient du bout du monde. Cet atavisme artificiel provient sans doute de ce même manque d'une branche dans l'arbre généalogique. Chaque jour, je m'applique à lui faire comprendre que cela n'a que l'importance qu'on veut bien lui donner. J'en suis la preuve vivante. Le fait de ne pas connaître mon géniteur ne m'a pas empêché de réussir. Au contraire, ça a été mon ressort, ma plus forte motivation pour aller chercher sur scène la reconnaissance que celui qui m'avait fait m'avait refusée. Et surtout, ça m'a permis d'être élevé par un père de substitution merveilleux. Camille. Celui que je décris ainsi dans une chanson :

— *C'est pas celui qui m'a semé, c'est celui qui m'a récolté.*

Je n'ai qu'un regret. Une fantaisie dont je déplore de ne pas avoir eu l'idée. Une audace du génial Salvador Dalí. Quand il a été adolescent, il s'est masturbé dans un flacon. Et il a envoyé le tout à son géniteur accompagné d'un mot sur lequel il avait écrit :

— *Maintenant on est quittes !*

Revenons-en à Lily. Mon « elle » des îles. Sur la forme, l'adoption est complexe. C'est une longue bagarre. Des tracasseries administratives, des égarements, des angoisses. Et ces nuits interminables à deux où on se rêve à trois. Mais une fois que l'enfant est là, on en oublierait presque tous les contretemps, toutes les détresses. Et Dieu sait si, pour avoir Lily, il y en a eu. Sur la forme, c'est un cadeau du ciel inestimable. C'est Noël tous les jours. Sur le fond, il subsiste toujours un inconfort affectif. L'appréhension du reproche. Courant, hélas ! La peur de la phrase inoubliable. Celle à laquelle peu de parents adoptants peuvent échapper quand l'enfant passe par l'adolescence rebelle :

— *Je ne vous ai pas demandé de venir me chercher !*

Je connais une variante que je ne résiste pas au plaisir de te confier. Je la tiens d'autres parents adoptants. Leur fille, qu'ils avaient recueillie au Venezuela, était adolescente. Ils traversaient ce passage périlleux où elle remettait tout en question à la moindre contrariété. Avec, bien entendu, le désir d'aller à Caracas sur les traces de ses origines. C'était prévu. Mais en attendant, il fallait chaque jour se battre pour désamorcer les états d'âme de la gamine. Un soir, les parents lui ont parlé en employant une métaphore florale. Ça ne pouvait pas tomber mieux puisqu'elle poursuivait des études, brillantes d'ailleurs, dans un lycée horticole. C'est le père qui lui expliqua une fois de plus l'amour qu'ils avaient pour elle.

— Tu es mieux placée que personne pour savoir que pour faire pousser une fleur, il faut de l'eau et du soleil. Eh bien, l'eau, ce sont les larmes que nous avons versées chaque fois qu'on s'inquiétait pour toi. Et le soleil, c'est l'amour dont on t'a inondée chaque jour.

Très joli. Ils n'attendaient pas un remerciement, mais au moins un regard un peu plus adouci. La réplique a été immédiate. Cruelle ? Juste ? Drôle ? À toi de juger :

— D'accord pour l'eau et le soleil qui font pousser la fleur ! Mais pour les profs qui me font chier à l'école, qui c'est qui fait le « round up » ?

Moi, je dirais plutôt drôle. En tout cas parfaitement raccord avec cet âge idiot où on se prend pour des adultes alors qu'on n'a même pas fini son enfance.

Malgré tout, je souhaite à tout le monde de vivre ce bonheur intense de l'adoption. Je me souviens, à un moment, avoir douté du bien-fondé de ma démarche. Et à ceux qui douteraient à leur tour, je veux juste ici rapporter les paroles d'un ami qui m'a convaincu d'aller au bout de mon choix.

— Tu sais, Patrick, dans une grossesse normale, la femme porte l'enfant. Qu'on le veuille ou non, il est un peu plus à elle parce que, pendant neuf mois, il n'a justement été qu'à elle. Dans une adoption, l'homme et la femme sont à égalité parfaite.

Et il a ajouté, un petit sourire aux lèvres :

— *Et en plus, c'est d'autant plus fort que vous n'aurez pas eu un moment de plaisir en échange !*

Il avait raison. Lily s'appelle aussi Poerava. « Petite perle noire » en tahitien. C'est un bijou qui ne figurait pas sur la liste de mon mariage avec Nana, mais qui fait scintiller chacun de mes vieux jours. Je n'en remercierai jamais assez Denise. Tu sais, la Denise de *Vitriol menthe* dont je t'ai déjà parlé. Celle du club libertin le plus célèbre des années quatre-vingt à Paris. C'est elle qui, bien loin des outrances des nuits coquines de Paris, a facilité toutes les démarches. Avec dévotion et une infinie tendresse.

Je ne remercierai jamais assez aussi Bernard, mon ami chirurgien de Tahiti, d'avoir aidé à nous offrir, à Nana et moi, le soleil de notre union. C'est avec lui que je terminerai ce minichapitre. Pour une phrase inoubliable qui n'a rien à voir avec l'adoption, mais qui résume à elle seule toute la complexité des rapports homme-femme de cette planète. L'alchimie si surréaliste parfois de la violence et de l'amour. Parce que comme tu vas pouvoir le constater, ça n'est pas si simple. La phrase est terrible. À toi de l'analyser et d'en tirer les développements que tu veux.

Bernard, dermatologue de formation, a été aussi généraliste à Nouméa et à Tahiti. Un docteur ami. Un de ces familiers auxquels on peut tout confier, même des douleurs qui ne relèvent pas de la science d'Hippocrate. Il faut savoir que dans certaines îles, il arrive que la violence faite aux femmes relève plus de la tradition récurrente que du coup de sang occasionnel, hélas ! Bernard m'a confié avoir reçu bien souvent à son cabinet des femmes cabossées par les coups de leurs mecs. Mais sans plaintes réelles. Elles acceptaient l'immonde comme un aléa routinier.

Ce jour-là, la femme est arrivée en larmes. Il s'est dit qu'une bagarre de plus avait meurtri sa chair et piétiné sa dignité. L'explication de ses sanglots l'a laissé bouche bée. Elle a planté dans les yeux de Bernard son regard désespéré et elle a murmuré :

— *Ça fait une semaine qu'il ne m'a pas battue. Je crois qu'il ne m'aime plus !*

UN TRAVELO NOMMÉ DÉSIR

(*Un tramway nommé désir.*
Elia Kazan. 1951)

Le préfixe « trans » est à la mode. Il fut un temps où il annonçait un long voyage de rêve. « Transsibérien », « Trans-Europe-Express ». Aujourd'hui le voyage se situe entre les seules frontières de la masculinité et de la féminité. « Transgenre », « transsexuel ». Ces fractions de la communauté LGBT commencent enfin à s'inscrire dans le quotidien avec de moins en moins de rejet. Il était temps. Et j'en suis ravi. Même si les profanes n'en décèlent pas encore toutes les singularités. La confusion la plus fréquente est entre les transsexuels et les travestis. Petit cours de différence appliqué : un transsexuel s'est débarrassé de ses attributs masculins. Un travesti s'habille en femme mais les a gardés. Ce que m'a très bien imagé un ami grand chef cuisinier étoilé :

— *Une poêle, c'est pas une marmite !*

Dans les années quatre-vingt, au hasard de mes pérégrinations nocturnes dans la capitale, j'ai beaucoup fréquenté les milieux interlopes. Passant allègrement des endroits les plus hétérosexuels comme Chez Castel, l'Élysée-Matignon aux temples de la différence comme Chez Michou, Madame Arthur ou le Elle et Lui. Ce dernier lieu de plaisir était un cabaret de Montparnasse scindé en deux bars distincts qui, d'un côté recevait les lesbiennes, et de l'autre les travestis. C'est là que j'ai eu droit à une jolie méprise du barman avec lequel je philosophais sur l'origine de l'homosexualité. Était-ce génétique ou acquis en chemin ? Je lui ai demandé :

– *À ton avis, l'homosexualité, ça vient d'où ?*

Il m'a répondu :

– *Ce soir, surtout de banlieue, mais à partir de demain un peu plus de province à cause du Salon de l'agriculture* !

Ce milieu qui m'a toujours attiré a renforcé ma tolérance et mon humanisme. On ne peut pas accepter les différences si on ne fait rien pour les comprendre. Certainement un relent de ma différence de village. De la mise à l'écart pour cause de bâtardise. Copie conforme de la mise au ban par la société d'une confrérie de pas pareils qui, même aujourd'hui, encore, a bien du mal à se fondre dans la masse autorisée. Ça a été l'occasion de longues conversations pour essayer de saisir le pourquoi et le comment des choses. Le milieu provincial et rugbystique dont je venais était plutôt machiste. Celui que j'ai fréquenté dans mes premières années dans la capitale m'a ouvert les yeux sur bien des injustices et des désespoirs.

Comme ce soir où je me trouvais dans une loge de maquillage aux côtés d'un artiste transformiste qui se glissait à la perfection dans la peau de Sylvie Vartan. Il tentait, à grands coups de pinceaux, de masquer les ecchymoses que lui avaient infligées des « casseurs de fiottes » la nuit précédente. Un guet-apens dans lequel une bande de jeunes cons, outre lui avoir lacéré le visage lui avait cassé deux côtes. Comme ça. Pour le plaisir. En justiciers pitoyables de la morale établie. Il était très amoché et affaibli. Je lui ai demandé :

— *Tu vas travailler quand même ?*

Il m'a répondu :

— *Ben oui ! Qu'est-ce que tu crois. Je suis pas un pédé !*

Encore une fois : « Où est le vice, où est la vertu ? »

Ceci posé, j'ai deux phrases inoubliables de travestis à te proposer. La première est d'un(e) bel(le) ami(e). Charline. Un(e) superbe Antillais(e) prostitué(e). Son histoire est étonnante. Tout démarre quand il s'appelait encore Charles. Déjà travesti, une jeune femme était tombée amoureuse de lui. Elle se fichait de la robe créole, tant qu'elle profitait de ce qu'il y avait dessous. Elle le piégea même en tombant enceinte à son insu. En lui mettant le marché en main : ou il l'épousait, ou elle lui abandonnait l'enfant. Comme il ne voulut pas l'épouser, c'est lui qui éleva la petite fille qu'elle lui avait donnée. Sans le moindre problème. Il était un papa qui s'habillait en femme. Et tout alla très bien dans le meilleur des mondes.

Aujourd'hui, la jeune fille a vingt ans et, aux dires de Charline, leur relation, au-delà de la paternité, est devenue une complicité de copines. En se foutant bien des considérations extérieures. Sartre a raison : « L'enfer c'est les autres. » Et par bonheur, Charline et sa fille sont au paradis. Je n'oublierai jamais ce jour où en entrant dans le bar de nuit où elle avait ses habitudes, j'ai trouvé Charline attablée devant une bouteille de champagne. J'ai lancé :

— *On arrose quoi ?*

Elle était sublime. La poitrine majestueuse recouverte par ses longs cheveux blonds. Plus féminine, ce n'était pas possible. Elle a éclaté de rire et m'a répondu :

— *Tu te rends compte ! Je vais bientôt être grand-père !*

La dernière phrase inoubliable de ce « minitranschapitre », je ne la tiens pas d'un travesti prostitué lui-même, mais de son client. Un riche industriel ami du Dauphiné. C'était il y a une vingtaine d'années. Mon pote grand patron rôdait sur les quais de Saône à Lyon à la recherche d'un coït occasionnel. Il avait un faible pour ces mi-hommes mi-femmes tout en couleur qui ravissent en cachette bien des hétéros de façade. Crois-moi sur parole. Je suis un ethnologue des nuits fauves. Et je sais tant de choses sur la nature humaine. Ces choses qui m'ont inspiré un de mes aphorismes préférés :

– *C'est la part d'ombre de chaque être humain qui les éclaire le mieux !*

Cette nuit-là était noire et froide. Mon ami a invité le travesti qu'il croisait pour la première fois à bord de sa grosse cylindrée. Ils sont allés se cacher dans un coin, loin des réverbères. Comme il est de tradition, mon ami a d'abord demandé le tarif. La prostitution a ceci de commun avec le poker, c'est qu'il faut payer pour voir. Et comme mon ami était un adepte des deux, il connaissait les usages.

Il a demandé :

– *C'est combien ?*

Le travesti aimable a répondu de sa voix de mâle maquillée midinette :

– *On verra après ! J'ai confiance.*

La relation s'est passée sans encombres. Le travesti a parfaitement répondu à toutes les attentes de mon ami. En finissant de se rhabiller, mon ami a réitéré sa question :

– *Alors, c'est combien ?*

Je suis certain que la réponse que je vais te dévoiler ravira à la fois les amateurs de répliques de concours et les adhérents de La France insoumise. Le travesti a souri et a lancé :

— 2 000 euros par mois. Pour l'instant, je ne suis qu'à 1 200. Je travaille dans votre usine, patron !

LE PLUS BEAU DE SERGE

(*Le Beau Serge.* Claude Chabrol. 1958)

Enchaînement logique avec le minichapitre précédent. L'éloge d'un marginal. Lucien Ginsburg, dit Gainsbourg. Dans le milieu des légendes du show-biz, le plus différent des différents. Auteur-compositeur interprète, poète, pianiste, artiste peintre, metteur en scène, écrivain, acteur et cinéaste français, comme le décrit sa biographie officielle. Pas mal pour un alcoolique ordinaire ! On peut rajouter : désespéré éclatant. Avec, pour débuter, sa définition du bonheur qu'il m'a glissée à l'oreille une nuit d'ivresse :

— On dit que le bonheur, c'est le ciel bleu. Quelle connerie ! Regarde une photo de ciel bleu, c'est monotone, c'est chiant. Alors qu'une photo de ciel d'orage, c'est rouge, jaune, noir. Magnifique ! C'est ça le bonheur, mon p'tit gars !

Une vie d'orage donc. Entre les nuages de fumées, les éclairs de son Zippo et les trombes d'alcool qu'il s'est déversées dans le corps. Sans aucune éclaircie. Même pas les succès discographiques ou les conquêtes les plus sensuelles. Non. Un grondement de tonnerre perpétuel, comme tous les écorchés chroniques. Alors forcément, on avait des atomes crochus. Pas une intimité. Juste des croisements occasionnels de comptoir et des confidences de survivants. Avec, en point d'orgue, une séquence de télévision inoubliable qui fait encore sur Youtube le régal des chasseurs d'archives.

« *On est venus te dire qu'on t'aime bien !* » Une ribambelle de gamins, lunettes de soleil et fausse barbe de trois jours. Avec, à la main, un verre de jus de pomme et une cigarette en chocolat. Une de mes plus belles émotions cathodiques. Les mômes s'avançaient vers Gainsbourg, ému aux larmes, en chantant les mots que j'avais écrits pour lui. Et là, le vrai Gainsbourg. Tendre, émouvant, pudique. Le clone inversé de l'autre. Le Gainsbarre alcoolique, fumeur, dragueur. Séducteur. Eh oui, séducteur avec sa tête de chou. Beau. Elles ne s'y sont pas trompées, de Bardot à Birkin, les plus belles femmes du moment quand elles ont fait de « Quasimodeste » leur prince charmant.

J'ai adoré cet homme. Il m'aimait bien aussi. Sans doute, une gémellité d'idéalistes suicidaires en mal de vivre vite pour réparer tant de blessures à l'âme. Les outrances graveleuses parfois en pare-soleil. Pour éviter que les rayons de la célébrité nous crament l'âme. Comme le jour où il m'a confié, après une nuit passée avec une quelconque trop enveloppée, mais diablement sensuelle :

— *Elle était tellement grosse que je lui disais « vous » !*

Il était frêle, Serge. Instable. Quand tu le croisais, tu te disais qu'une rafale de vent aurait pu le plier. Mais ce n'était pas un roseau. C'était un chêne. Enraciné dans sa mémoire juive. Un « shérif », comme il aimait en plaisanter, à cause de l'étoile jaune. Et puis cette puissance artistique. Sa musique, ses mots. Et son courage physique aussi, le poing levé face à une congrégation de paras hurleurs qui n'avaient pas compris que sa « Marseillaise » n'était pas une insulte mais un hommage.

Le pire des malentendus à son sujet était son présumé laisser-aller sanitaire. Les gens assimilaient son mal rasé volontaire à une hygiène négligée. Je n'ai jamais rencontré quelqu'un avec les ongles aussi soignés. Il sentait bon. Et le parfum de son âme était encore plus envoûtant. Déglingué, certes, mais juste, pudique et profondément généreux.

Alors bien sûr, l'alcool et le tabac en overdose. Le 102 à la main. Deux 51. Et sa panoplie manuelle de héros fracassé : le paquet de gitanes et le Zippo. Il allumait la suivante au mégot de la précédente. Le mouvement perpétuel d'un suicide annoncé. Parce que la vie consume sans filtre les idéalistes. Sur leurs couveuses, on devrait écrire : « Vivre tue ! » Et évidemment, le « beau » Serge y allait de sa citation pied de nez pour ceux qui s'inquiétaient de ses excès :

— *Le tabac et l'alcool, y a rien de meilleur pour la santé ! La preuve, l'alcool conserve les fruits et la fumée conserve la viande !*

Oui, mais morte, Serge ! Morte. Allez, tant pis ! Il faut bien crever de quelque chose. On nous impose tellement notre manière de vivre que c'est la moindre des libertés de choisir notre manière de mourir.

La nuit, il traînait. Comme nous tous, les poissons de nuit. Jamais entre deux eaux, toujours entre deux vins. Nageant de bars beaux en beaux bars. Pour se mentir qu'on est heureux. Souvent, il finissait dans un commissariat. Pas pour prendre des coups. Pour en boire avec ses potes policiers. Un honneur pour eux. Et le beau mélange amical de ce libertaire amoureux du désordre attablé devant le verre de l'amitié avec les représentants de l'ordre. Au lendemain d'une nuit d'ivresse achevée au commissariat du huitième, il m'avait confié en coulisse d'une émission :

— *Tu te rends compte, il paraît qu'ils veulent mettre l'alcootest à zéro ! Si on met l'alcootest à zéro, qui c'est qui va conduire la voiture des flics ?*

Cette phrase-là, je l'ai replacée cent fois dans mes spectacles. Efficacité garantie. Comme mon imitation de lui. Celle que je fais encore *in memoriam*. Et aussi parce que ça me donne l'occasion d'allumer une cigarette dans un lieu public sans qu'on y trouve à redire. Et puis de glisser aux spectateurs que, chaque fois que j'allume cette cigarette, j'ai une pensée émue. Terriblement émue... Je laisse passer un silence et j'ajoute :

— *... pour tous les fumeurs qui sont dans la salle et qui ne pourront pas en allumer une avant une heure !*

Cette imitation de lui, il m'avait fait l'honneur de venir l'applaudir à l'Olympia. Même pas rancunier de la charge tremblotante et titubante. Au contraire, très honoré. Il m'avait même confié, gai et désabusé, que ce miroir-là valait mieux que le sien. Et après on avait dîné ensemble avec Bambou, sa compagne du moment. Un moment surréaliste tout en tendresse. Pendant tout le repas, Bambou n'a pas décroché un mot. Pas un seul. Au bout d'une heure, je ne me souviens plus du sujet dont nous parlions, mais la jeune fille a tenté une intervention :

– *Je voudrais dire que...*

Il l'a coupée, net :

– *Mais ferme ta gueule !*

Et puis, il lui a tendrement pris la main pour l'embrasser. Ce n'était pas pour l'humilier, c'était pour rire. Mutin, coquin. Encore un clown triste. Si triste de traîner son complexe de petit bonhomme au nez crochu. À ce propos, je te conseille, si tu ne l'as pas vu, de te précipiter sur le film de Joan Sfar (*Gainsbourg, vie héroïque*). Certainement un des biopics les plus fidèles à celui qui en est le centre. Une merveille ! Il y a tout Serge. Le désespoir, les contradictions, le talent, le suicide. Pas celui qu'on décrète sur un coup du sort ou par lassitude. Non. Celui qu'on programme dès l'enfance. Avec encore et encore le nez rouge de clown pour désactiver par à-coups le mal de vivre.

Et cette dernière phrase inoubliable qu'il m'a dite à la fin de ce repas non moins inoubliable avec Bambou. Celle-là aussi, je l'ai replacée souvent dans mes spectacles. Je la cite d'ailleurs dans le dernier, *Avant que j'oublie.* Parce qu'elle me va bien aussi, moi, qui fume presque autant que lui. Cette phrase, je la prononce avec ma voix, mais chaque fois, j'entends la sienne.

– *Au moins, si je suis incinéré, j'aurai fait la moitié du boulot !*

UN FAUTEUIL POUR DIEU

(*Un fauteuil pour deux*. John Landis. 1983)

C'était sur la terrasse d'un restaurant d'été de charme. Je dînais avec des amis discrets. À la table voisine, il y avait deux jeunes filles en tête à tête. Tout aussi discrètes. L'une d'elles était handicapée, en fauteuil roulant. Divinement belle. Dieu peut être aussi généreux que cruel. En face, à quelques mètres, une tablée d'une dizaine de personnes. Aux premières bribes de conversation échappées en début de repas, j'ai saisi que cet aréopage était principalement constitué de « gens bien », comme on dit. Ça parlait d'entreprise, d'immobilier, et d'enfants gâtés exilés dans des écoles américaines.

Et puis, au fur et à mesure du repas et des bouteilles de champagne qui s'accumulaient, le brouhaha sympathique est monté en intensité. C'est souvent le cas dans ce genre de réunion de caste : plus le propos est bas, plus le ton est fort. C'était les années François Hollande. Celles du « Flanby bashing » pour privilégiés insoumis. Les corsaires en Chanel et les pirates en Vuitton. Les « révoltés du bon teint » ! Alors, évidemment, on a eu droit aux plaintes sur la dévalorisation de la réussite. Avec, bien sûr, une charge en règle contre les lois fiscales. La tentation quasi unanime qu'il allait falloir quitter cette France assassine pour enfin profiter ailleurs des fruits d'un travail bien mérités.

— *Vous vous rendez compte comme ils nous saignent !*

— *On y arrive plus !*

Tout ça sur fond de cliquetis de bijoux contre les assiettes de foie gras et les coupes de Moët et Chandon millésimé. L'évocation de l'insécurité et de la racaille a encore fait monter les échanges d'un ton. En particulier les commentaires révoltés sur les zones de non-droit, dont je doutais fortement que, même si elles eussent été des zones de plein droit, le moindre d'entre eux y aurait mis les pieds. On a atteint le paroxysme de l'indécence quand le plus farceur s'est levé pour imiter le Roumain boiteux au carrefour, la main tendue et la phrase traditionnelle : « *S'il vous plaît… s'il vous plaît !* »

Et là, bien sûr, éclat de rire général et applaudissements nourris. J'ai croisé, à ce moment-là, le regard de la jeune fille en fauteuil. J'y ai lu la même gêne qu'il y avait dans le mien. Et un immense sentiment fataliste sur la nature humaine. Pour couronner le tout, le « Roumain pour de faux » est venu vers moi pour me demander de faire tourner les serviettes pour eux. Ce que j'ai refusé poliment. Il m'a semblé percevoir à la table quelques commentaires en sourdine m'étiquetant « sale con ». Finalement, au vu de ce que je pensais d'eux, c'était un juste retour des choses.

Un peu plus tard, au moment de partir, la jeune fille en fauteuil m'a sollicité gentiment pour un selfie. C'est là qu'elle s'est penchée à mon oreille et m'a murmuré :

– *Finalement, les handicapés, c'est qui ?*

Cette phrase, je l'ai recyclée en parenthèse dans une chanson de scène que j'interprète sur les handicapés. La chanson s'appelle : « Pareil ». Je l'ai adaptée du célèbre « Saudade » de Cesária Évora. Je la chante pour eux. Et pour moi aussi. Pour être quitte. Parce que depuis que je fais ce métier, ce sont ces gens-là qui m'ont serré dans leurs bras avec le plus de ferveur. Parfois à en pleurer tant, chaque fois, leur étreinte est forte et sincère. Avec, forcément, des moments inoubliables et les phrases qui vont avec. Comme ce beau lapsus d'un petit trisomique à la sortie d'un spectacle à Berk :

– *Tu m'as fait du bien à ton cœur !*

Sans le vouloir, il avait parfaitement résumé ce que je venais de ressentir. Le bonheur reçu largement à la hauteur du bonheur donné. Un acte de générosité et de reconnaissance tellement éloigné de ceux que j'ai pu croiser en quarante-cinq ans de carrière dans le show-biz et dans la télé. Avec ces « handicapés » non officiels qui grouillent dans les médias. Tous ces amputés du cœur, boiteux de la solidarité. Aveugles à ne voir qu'eux.

Manchots. Avec l'unique main qu'ils ne tendent jamais, mais qu'ils n'hésitent jamais à armer pour te poignarder dans le dos. Incapables de couvrir d'un vêtement chaud le cœur d'un égaré qui grelotte. Handicapés manteaux, donc !

Et puis, bien sûr, les plus nombreux : les hydrocéphales. Grosses têtes incompressibles. Perchés sur leurs podiums avec le regard condescendant des vainqueurs. Persuadés que leur réussite leur donne tous les droits de suffisance et de mépris. Tout cela n'a fait qu'adouber la sentence que m'avait communiquée un vieux professeur de philosophie qui m'avait aidé à passer mon bac en candidat libre. Au fond d'un bistrot de Brive, il jouait tous les soirs au poker et se saoulait jusqu'au matin. Dégoûté de la race humaine dont il connaissait les pires travers. En particulier, cette forfanterie égoïste qui fait qu'un homme se surévalue au gré de ses succès. C'est lui qui m'a enseigné une donnée essentielle au cas où la vie me porte haut : ne me prendre que pour ce que je suis, et jamais pour ce que je représente. Il m'avait imagé ça d'un aphorisme bien plus trivial, mais tellement juste :

— Il n'y a que vingt centimètres entre le nombril et le trou du cul du monde !

Mais revenons-en aux handicapés. Aux vrais. Déclarés au guichet de la sécurité asociale. J'ai toujours été émerveillé par leur générosité sans calcul. Et encore plus par leur autodérision. Cet humour noir auquel maintenant je t'ai habitué qui, à défaut de réparer leurs contrefaçons, leur permet de mieux les supporter. Comme le plus récent que j'ai croisé, à qui il manquait le bras droit. Il était très très fan de moi. Quand il m'a vu entrer dans le café où il se trouvait, il s'est tourné vers le comptoir en demandant :

– *Quelqu'un pourrait me prêter une autre main ? Je voudrais applaudir mon idole !*

Le champion toutes catégories en blagues sur son propre handicap reste sans contexte pour moi mon pote Gilbert Montagné. Non-voyant cynique et gai, je crois qu'il n'y a pas eu une seule de nos rencontres où il ne m'a pas dit qu'il était content de me voir. Le pied de nez au destin. Ou plutôt le clin d'œil, pour rester raccord. Cette autodérision, on en a même fait des sketches pour la télé. Cette télé où, bien évidemment, chaque fois qu'il venait entonner ses « Sunlights des tropiques », il demandait qu'on lui fournisse un prompteur pour qu'il puisse y suivre le texte. En précisant qu'il fallait l'écrire en très gros. Et bon nombre d'assistants naïfs se sont fait prendre à ce gentil piège qui l'amusait au plus haut point.

Je me souviens de notre séquence la plus audacieuse dans l'émission *Osons*, qui, à cette occasion, ne pouvait pas mieux porter son nom. Il était en maillot de bain sur une plage au milieu des vacanciers. Il soufflait dans une poupée gonflable. Je déboulais en lui disant qu'il était complètement inconscient de faire ça sur une plage familiale devant des enfants. Et là, il s'arrêtait net en lançant :

— *Une poupée gonflable ? Merde alors ! Ça veut dire que pendant tout l'hiver je me suis tapé mon zodiaque ?*

Une plaisanterie à deux balles. Une grosse rigolade gauloise inspirée d'une bonne vieille blague éculée. Cette distance-là sur le malheur me fascinera toujours. Elle est bien plus fréquente que l'on croit. La preuve, il y a quinze jours encore à la sortie d'un spectacle. Un tout jeune homme en fauteuil, accidenté à moto. Au moment de faire le selfie traditionnel, il fallait bien que lui aussi enfile sa carapace. Sa vanne de secours. Il m'a dit en riant :

— *Si juste avant l'accident, j'avais su que je finirai ma vie dans un fauteuil, j'aurais fait des économies de chaussures !*

LA VIE DERRIÈRE SOI

(*La Vie devant soi*. Moshé Mizrahi. 1977.)

Je vais poursuivre dans la droite ligne du minichapitre précédent. Parce que ce sont les plus accidentés sur leur chemin de vie qui m'ont donné les plus grandes leçons pour relativiser les ornières qui ont cahoté le mien. Je me souviens en particulier d'un après-midi de printemps en plein Paris. C'était au tout début de ma carrière. Je sortais de la BNP de la rue Pierre-Demours quand j'ai aperçu la fourrière qui commençait à embarquer mon véhicule. Déjà que mon compte n'était pas très fourni, cet enlèvement tombait vraiment mal. J'avais encore des réflexes de rugbyman sanguin. C'est te dire comme j'ai fait exploser ma colère sur les employés du « racket au stationnement ». Ce qui n'a rien changé, tu t'en doutes. J'ai regardé partir ma voiture vers le dépôt du boulevard Pouchet. Je fulminais encore à très haute voix quand un homme qui avait assisté à la scène s'est approché de moi. Et encore un fauteuil roulant d'handicapé. D'une voix douce, il m'a dit :

— *Ne vous énervez pas. Il y a bien pire dans la vie. Vous prendrez le métro !*

Il a laissé un silence, et il a ajouté :

— *Mais pour mieux relativiser, ça vous dirait de vous asseoir sur mes genoux et que je vous ramène chez vous ?*

Belle leçon de vie, comme je te le disais. Une autre dans la foulée. Et encore et toujours un fauteuil. Mais rouge, celui-là. Et sans roues. Un de ceux du premier rang de l'Olympia. C'était en 2004, à l'occasion d'une émission de télévision qui fêtait mes trente ans de scène. J'avais convié les amis qui avaient jalonné toutes ces années. Sur la scène, Pierre Bachelet répétait. Je l'observais de la salle, particulièrement ému. Son physique portait les stigmates de la maladie. La voix était hésitante. Je savais que le bout du chemin n'était pas très loin. Mais j'avais tenu à l'avoir près de moi pour la fête. Ce sera d'ailleurs la dernière émission de prestige à laquelle il participera.

Pierre était un intime. Je l'avais fait démarrer sur scène quelques années plus tôt et il y avait entre nous une vraie tendresse. Des milliers d'éclats de rire partagés. Et puis une complicité qui nous imposait de ne rien nous cacher, surtout du pire. La fin était proche. Même s'il gardait un espoir minime, il le savait. Et il savait que je savais. Le cancer de la clope grignotait ses dernières forces. Sans filtre. Alors, à la fin de la répétition, il est venu s'asseoir dans la salle près de moi. On a parlé sans interdits ni précautions hypocrites de la maladie et de son issue probable. La dernière phrase de notre entretien, je ne peux pas l'oublier. Elle ressurgit chaque fois que j'hésite à m'offrir un plaisir.

— Je vais te dire, Patrick, c'est pas quand je pense que je suis malade que je souffre le plus. C'est quand je me dis que j'aurais pu en profiter cent fois plus quand je ne l'étais pas !

La phrase qui conclura ce minichapitre est sans doute une des plus déchirantes que j'ai entendues de la bouche d'un enfant. Une autre leçon de vie aux portes de la mort. S'il y a une journée de ma vie que je n'oublierai jamais, c'est celle que j'ai passée, il y a une quinzaine d'années, à la fondation McDonald. C'est un hôpital de Villejuif, en banlieue parisienne, qui accueille des enfants malades. Les parents d'un môme atteint d'un cancer, dont j'étais l'idole, m'avaient demandé de venir le rencontrer. J'y suis allé.

J'ai d'abord parlé avec la directrice. Elle m'a expliqué la singularité de cet établissement hospitalier. Des soins bien sûr. Mais aussi des maisons de parents. Et la possibilité pour eux de rester près de leurs enfants. Avec des chambres et même une cuisine commune aménagée dans laquelle ils peuvent fabriquer et consommer des repas à leur guise. L'occasion aussi de partager leur chemin de croix. Chacun aidant chacun au-delà de la nourriture à préparer ensemble. Une véritable oasis de solidarité humaine. Tous ces gens, qui au départ ne se connaissent pas, finissent par tisser des liens incroyables d'humanité.

Pour me convaincre des bienfaits hors du commun de cette mixité, la directrice me raconta l'histoire de cet homme, père d'un enfant malade hospitalisé à la fondation, qui assumait sans honte son racisme viscéral. Au point d'être venu lui dire avec véhémence qu'il y avait un Antillais dans cette communauté et qu'en aucun cas il n'accepterait de partager quoi que ce soit avec lui. Il s'était vraiment énervé en assénant que ce serait cet Antillais ou lui, mais pas les deux. La directrice lui rétorqua que c'était comme ça et pas autrement. Ou alors, il s'éloignerait de son fils. Parce que finalement ils étaient les mêmes dans leur combat à une toute petite lettre près. Ils n'avaient pas la même couleur, mais ils avaient la même douleur.

L'homme avait cédé à contrecœur. Et il fut obligé de partager les repas, leur fabrication, l'intimité mais aussi le chagrin commun avec l'Antillais. Au bout d'une semaine de cette proximité, il était entré dans le bureau de la directrice, s'était assis calmement, avait sorti un bout de carton de sa poche et avait dit, les larmes aux yeux :

— *Regardez ! C'est ma carte du Front national. Je la déchire pour toujours.*

Cette première phrase inoubliable de la journée m'avait déjà bouleversé. La deuxième me laissera KO. Les parents du petit bonhomme malade avaient vraiment insisté pour que je vienne le voir. Le jour où on avait parlé la première fois ensemble, on avait échangé nos chagrins. Nos fils. La perte accidentelle du mien et celle du leur programmée pour dans très peu de temps. Un meurtre avec préméditation en quelque sorte. Et, pour eux, comme souvent, Dieu en coupable idéal. Une conversation terrible qui, une fois de plus, avait relativisé mon deuil personnel. Le plus fou, c'est que je me sentais presque favorisé par le destin dans cette perte commune à venir. Comme quoi, il y a toujours pire que le pire. Il suffit d'en être conscient. Quand je leur ai dit que je viendrais voir leur petit le plus vite possible, ils ont pleuré de joie.

— Vous représentez tellement pour lui. Il écoute vos chansons en boucle.

Je te laisse imaginer le bonheur du petit bonhomme quand il m'a aperçu. Ses grands yeux rieurs au milieu de son visage glabre, sous son bonnet de petit chauve, m'ont déchiré le cœur. Il a fallu que je me retienne très très fort pour contenir mes larmes. Surtout qu'il sautait partout de joie. Le contraste était terrible. La vie qui l'assassinait aurait dû l'éteindre et il brillait de mille feux. Clown tout en cabrioles et en éclats de rire. Encore vivant. Mais pour si peu de temps.

On est resté quelques minutes à parler tous ensemble, et puis il m'a attrapé la main pour m'entraîner seul à seul dans sa chambre. Là, il m'a montré ses trésors. Des photos de footballeurs. Des doudous. Et, bien sûr, une grande affiche de moi. Et puis, il a branché un magnétophone d'une autre époque dans lequel il a enfourné une cassette usée. Et le petit bonhomme en verre fragile s'est mis à chanter à tue-tête « le petit bonhomme en mousse ». Il virevoltait, sautait sur le lit. À la fin, je l'ai applaudi en m'extasiant sur son énergie.

– *Eh ben, dis donc ! Quelle pêche ! T'es sûrement pas si malade que ça.*

Les mots qui ont suivi sont sans doute ceux de ce livre qui me touchent le plus. Il s'est assis, essoufflé sur le rebord du lit, et m'a dit :

– *Mais si, je suis très malade. Je le sais que je vais mourir. Ça me fait peur, mais il faut que je sois fort pour mes parents. Ils sont si faibles. Si je ne fais pas le clown, et que je montre que j'ai la trouille, ils ne tiendront pas le coup !*

FLIC SCORIES

(*Flic Story*. Jacques Deray. 1975)

Encore du flic. Mais pas du sympa, comme les copains de fin de nuit de Gainsbarre. Non, du zélé, de l'obtus. Comme tu as forcément dû en rencontrer au moins un dans ta vie d'automobiliste. Déifiés par la fonction. Seigneurs tout-puissants au royaume de la limitation de vitesse ou de la ceinture de sécurité. Représentants divins de la sauvegarde obligatoire. Souvent casse-couilles à défaut d'en avoir à la maison. Brimés par bobonne, il faut bien qu'ils compensent !

Attention, je ne généralise surtout pas. Cette catégorie de petits führers est une minorité. Mais elle existe, hélas ! D'ailleurs, un de ceux que j'ai croisés et qui m'a le plus tourmenté sans raison avait presque la même petite moustache qu'Adolf. À la sortie de Cahors, il m'avait serré pour un défaut de vignette sur le pare-brise. Le problème pour lui, c'est que la vignette y était. En fait, c'était la « vedette » dans la grosse voiture qu'il voulait surtout alpaguer. Vengeance de médiocre. Reçu au concours de la police avec 3 à l'oral et 18 à l'aigri ! Quand je lui ai fait remarquer que ma vignette était bien à sa place, il a argumenté que, de loin, il ne l'avait pas distinguée et qu'il n'avait fait que son travail. En prenant ma compréhension à témoin :

— *Qu'est-ce que vous feriez à ma place ?*

Ce à quoi j'ai répondu du tac au tac :

— *J'irai voir un bon opticien !*

C'est plus fort que moi. Même la menace d'amende pour outrage à agent n'arrive pas à juguler mes envies de répliques de sniper. Surtout au nom d'une devise de chevet que j'ai écrite un soir où j'avais l'âme audiardesque :

— *Quand un con parle à la montagne, il faut pas qu'il s'étonne qu'il y ait de l'écho !*

La plus jouissive de ces reparties à la maréchaussée abusive, je l'ai balancée à l'occasion d'un excès de zèle dans le bois de Boulogne où je m'étais fait serrer. Ah, non ! Pas pour ce que tu crois. N'en déplaise aux esprits mal placés qui me lisent, c'était juste pour un léger franchissement de ligne blanche. Pour tous ceux qui me prêteraient des divagations nocturnes en cet endroit pour une recherche de plaisirs interdits, je préfère mettre les choses au point. Question d'honneur ! Non, mais ! J'habite à Boulogne et, pour rentrer chez moi, je suis obligé de passer par le bois de Boulogne. Et je te jure bien que si je n'habitais pas à Boulogne… j'y passerais quand même !

Le zélé de service m'a donc serré, et, en découvrant mon identité, m'a d'abord signalé qu'il ne regardait pas la télé. Comme si ça avait quelque chose à voir avec l'infraction. Le décor était planté. « Superconnard » voulait se faire « Superconnu ». Si bien qu'au bout de quelques tracasseries et réflexions diverses et désobligeantes au sujet de ma célébrité, j'ai craqué. Je lui ai lancé :

– *Tu vas rentrer chez ta femme et tu vas lui dire que t'as arrêté Patrick Sébastien, ça va lui faire plaisir !*

Il a immédiatement argumenté que ce n'était pas son genre. C'était cadeau !

Ma réplique a fusé :

– *Eh ben, tu diras ça à ton mec !*

Ça aurait pu être vrai. Lui a considéré que c'était un outrage à agent. L'occasion de sortir le grand jeu. Avec la fougue et la brusquerie réservées aux délinquants de haut vol. Menottes. Garde à vue. Je me suis retrouvé au commissariat du seizième. J'avais droit à un seul coup de téléphone. Ma femme était sur répondeur. J'ai demandé qu'on appelle ma mère. Mais avec précaution pour ne pas l'inquiéter. C'était quelques mois seulement après le matin terrible où je lui avais annoncé par téléphone l'accident et la mort de son petit-fils. J'ai sollicité du commissaire qu'il mette le haut-parleur, pour qu'elle ne croie pas qu'il m'était arrivé quelque chose de grave. Le brave commissaire a accédé aimablement à ma demande.

J'ai entendu la voix de Maman demander :

— *Qu'est-ce qu'il a fait ?*

Le commissaire a expliqué mon emportement. Maman a demandé des détails plus précis :

— *Qu'est-ce qu'il a dit ?*

Et le commissaire a rapporté mes propos. C'est là que j'ai entendu la douce voix de Maman lancer cette phrase inoubliable si jouissive :

— *Eh ben, il ne vous en a pas dit assez, bandes de connards ! Parce que moi à sa place…*

Pas la peine d'écrire le reste. Non parce que ce serait trop infamant pour les forces de l'ordre mais parce que ce serait trop long ! Les chiens ne font pas des chats… et inversement ! Ce n'était pas la première fois que Maman faisait étalage de son allergie aux représentants de l'ordre. À l'époque où elle tenait, à Brive, son bar, Le Turenne, son jugement était aussi abrupt. Ce qui lui valut, bien avant moi, quelques convocations pour insultes à agents de la force publique. La plus célèbre restant l'affront qu'elle a fait un soir à un inspecteur qui n'avait de cesse de lui chercher des ennuis. Invitée à un cocktail à la mairie, elle avait repéré son « bourreau » dans l'assistance. Elle s'est approchée de lui et, à la grande surprise de l'intéressé, lui a serré la main avec un grand sourire. Et immédiatement, elle s'est retournée vers l'adjoint au maire tout proche en lui disant :

— *Excusez-moi, je ne vous serre pas la main. Je viens de serrer celle d'un enculé !*

C'est d'ailleurs cette audace « flicophobe » qui m'inspirera le scénario de la séquence du *Grand Bluff* à laquelle Maman participera bien malgré elle. Un petit résumé pour ceux qui seraient passés à côté de ce qui, paraît-il, reste une émission culte. Je m'étais déguisé en gendarme pour piéger Maman. Et ça a marché. Dans le rôle du flic zélé, j'étais autoritaire, limite insultant quand je lui disais que je me foutais qu'elle soit la mère de « l'autre con ». Enfin, un pur moment de bonheur, qui, paraît-il, figure en bonne place dans le panthéon de toutes les caméras cachées de l'histoire de la télévision.

C'était le 26 décembre 1992. Avec un record à la clé. Dix-sept millions et demi de téléspectateurs. La plus grosse audience de tous les temps qui ne sera détrônée que six ans plus tard par la finale de la Coupe du monde de football 1998. Et qui reste malgré tout, aujourd'hui, le record toutes catégories hors football. Elle était pas belle, la revanche pour la maman du bâtard de Juillac ? Et en plus, elle y avait participé. De quoi pavoiser, non ? Bien sûr. Mais Maman, c'était Maman. Le garde-fou. Le raisonnable au cas où la démesure l'emporte sur l'humilité. Quand je lui ai annoncé les dix-sept millions et demi de téléspectateurs, elle a applaudi, bien sûr. Mais elle a tempéré, immédiatement. Avec une phrase inoubliable que j'encourage chaque animateur gloussant pour des Audimat performants à bien enregistrer.

Maman m'a dit :

– *D'accord, c'est très bien. Mais ne t'emballe pas. Plus de dix-sept millions de Français qui t'ont regardé, c'est beaucoup. Mais ça en fait surtout quarante millions qui ne te regardaient pas !*

LE GRAND DES SICILIENS

(*Le Clan des Siciliens*.
Henri Verneuil. 1969)

Trois géants du cinéma. Gabin, Ventura, Delon. Et mon regret de n'en avoir croisé que deux. J'aurais tant aimé serrer la main du « vieux ». L'idole de Maman. Pour elle, l'homme idéal. Pas la gueule d'amour des tout premiers films. Non, le « dabe » aux cheveux neige de *Touchez pas au grisbi* et du *Cave se rebiffe*. Audiard avait mis dans sa bouche des répliques de légende. Celle que je préfère est dans *La Rue des Prairies*. Marie-José Nat y joue sa fille entretenue par un homme bien plus âgé qu'elle. Gabin la rejoint dans une chambre d'hôtel, lui dégaine une longue tirade de moralité, et part dans le couloir. En larmes, pour le retenir, elle lance :

– *Papa !*

À ce moment-là, le vieil amant arrive. Gabin se retourne vers lui et laisse tomber :

— *Je crois qu'elle vous appelle !*

Un bijou ! Quant à Ventura, ce n'est pas une réplique de cinéma que je retiens de lui. C'est une phrase qu'il m'a dite à l'issue d'un repas inoubliable. Sa femme Odette m'avait sollicité quelques semaines plus tôt pour un spectacle au profit de son association, Perce-Neige. Le caritatif ostensible n'est pas mon truc. Afficher une compassion médiatique a pour moi quelque chose d'indécent. Mais comme à l'époque je passais dans un Olympia bourré à craquer, je lui ai proposé de lui offrir la recette du jour. C'était ça le plus important. Que j'aie préféré la générosité anonyme à l'étalage avait énormément touché Lino. Et pour me remercier, il m'avait invité à manger chez lui.

Ce fut un moment de grâce absolue. Avec Lino en chef cuisinier. Les meilleures pâtes de ma vie. Pas seulement pour la saveur. Pour le privilège. J'ai passé trois heures à me demander si je n'étais pas dans un rêve. Moi, le môme de Juillac, le fils à la Dédée, traité comme un prince par un roi du septième art. Et puis les confidences d'après, dans le salon, en tête à tête. Au fil des mots, il avait levé un coin du voile de sa pudeur extrême. Avec surtout une rage contre les pouvoirs publics qui faisaient si peu pour la maladie dont souffrait Linda, sa fille. Et le dégoût que lui avait inspiré un reportage, la veille à la télé, dans lequel des délinquants se plaignaient de leurs conditions de détention. Il a laissé tomber, désabusé et rageur :

— *La société moraliste me dégoûte. Elle se soucie plus des coupables en bonne santé que des innocents malades !*

Delon, à présent. Que n'ai-je entendu sur le prétendu ego surdimensionné du plus beau des samouraïs ? Je crois que rarement la jalousie de base du tout-venant n'a eu un terreau aussi fertile pour s'épanouir. Alain Delon se prend Alain Delon ! Et alors ? Quoi de plus normal, c'est Alain Delon. Une légende, une star. Une des seules qui nous reste. Au point que je lui dois une de mes plus grandes bouffées d'orgueil, mais ramenée très vite à de justes proportions. Une conversation avec lui au téléphone, dans laquelle je déplorais la bassesse des gens de télé qui m'employaient. Il m'a lancé :

— *Mais tu t'en fous de tout ça. Tous les deux, on est des stars !*

J'ai failli avoir un orgasme ! OK, c'est merveilleux à entendre, mais c'est faux. Lui seul de nous deux est une star, une vraie. Un immortel. De la race des seigneurs. Ceux dont la beauté, le talent, les excès en tout font qu'on les idolâtre et qu'on les exècre à la fois. Ils sont tellement ce qu'on aurait aimé être. Delon, c'est d'abord du travail. Une carrière monumentale. 135 millions de spectateurs en salles. Ça calme, non ? C'est une beauté diabolique dans *La Piscine*. C'est des histoires d'amour princières. Non, non ? Sissi ! C'est l'ami des présidents et des voyous. C'est des excès de langage, des excès de conduite, le courage des mots qu'on ne doit pas dire, des idées discutables parfois, mais sans concession aucune. C'est une statue. Ses détracteurs diront :

– C'est un monument ! Alors, on va laisser faire les pigeons !

Qu'est-ce qu'il en a à foutre de leurs jugements ? Rien. Absolument rien. À l'instar amélioré de la réplique célèbre de Chirac, ça ne lui en touche même pas l'une sans remuer l'autre ! Ça ne l'effleure même pas. Ses blessures sont ailleurs. Dans cet ossuaire sinistre qui lui a enseveli tous ceux qu'il aimait tant. Comblé par le succès, l'argent, les amours, il ne lui manque rien d'autre que ceux qui sont partis avant lui. Gabin, Ventura, Visconti, Romy, Mireille.

Alain est une relation pour moi. Je n'oserai jamais dire un ami. De toute façon, à part lui-même, je ne sais pas s'il en a vraiment ? Ce que je sais, c'est qu'il m'a offert quelques rares moments d'intimité qui tiennent une place privilégiée dans le Panthéon de mes plus beaux souvenirs. D'abord, ce texte que j'avais écrit pour lui et qu'il a joué pour moi sur fond de musique gitane. Plein cadre. Et la caméra que je dirigeais qui a plongé au plus profond de ses yeux et de son âme. Je n'ai pas l'habitude de privilégier l'écran tactile aux feuilles d'un livre, mais à la fin de ce minichapitre, va faire un tour sur Youtube. Il y a les images de ce moment rare. Ça s'appelle : « Dans mon cœur de Gitan. » Tu comprendras encore mieux ce que je viens d'écrire.

Et puis, sa présence dans *Le Plus Grand Cabaret du monde*. Avec une mention particulière pour son comportement en coulisses. Lui, la vraie star, a toujours été d'une gentillesse exemplaire et d'une simplicité rare avec le petit personnel. Ce qui n'a pas toujours été le cas des fausses stars que j'ai reçues. Le jour de l'enregistrement de l'émission qui fêtait ses vingt ans à Monaco restera un vrai moment inoubliable pour moi. Il avait accepté d'en être le parrain. La veille, il avait fait une mauvaise chute. Il était hors de question pour lui de renoncer à son engagement. Il est arrivé appuyé sur une canne, souriant, malgré une cheville qui avait doublé de volume. Dans la loge, je l'ai remercié et je lui ai dit qu'on allait tout faire pour faciliter son entrée sur scène avec sa canne. Il a éclaté de rire :

– *Delon avec une canne ? Ça va pas ? Je vais souffrir mais c'est hors de question. Ce n'est pas de la coquetterie, mais on ne doit jamais abîmer le rêve.*

Vanité ? Certainement pas. Juste le respect pour le public en retour de ce qu'il lui a donné. Dans la loge, avant le show, on a eu une bonne demi-heure d'intimité. On a parlé de Jean, de Lino. De ma proposition de prolonger *De l'autre côté du miroir* en organisant un face-à-face surréaliste avec Gabin. Je la lui avais soumise il y a quelques années et ça l'avait tenté. Là, il m'a bouleversé. Il m'a regardé, presque ému aux larmes, et m'a dit :

– *Non, je ne préfère pas. Je vais te dire la vérité, Patrick…*

Il a laissé un temps. Sa gorge s'est nouée et il m'a murmuré, presque inaudible :

– *Ça me fait peur.*

Bouleversant. La crainte du « môme », comme Gabin l'appelait, de retrouver un père perdu. Et, logiquement, on a enchaîné en parlant des enfants. Les miens, les siens. De la difficulté pour eux d'exister sous le joug médiatique d'un père célèbre. Cette rancune voilée ou crachée d'être le « fils de » qu'ils nous renvoient sans cesse à la gueule. À tort ou à raison. La phrase qui a conclu le sujet, il l'a redite à Pascal Praud, sur CNews, quelques mois plus tard. Quand je lui ai dit que ce n'était pas facile d'être le fils d'Alain Delon, il m'a murmuré une phrase inoubliable, avec le même regard embué qu'il avait eu quelques minutes plus tôt quand on évoquait Gabin :

– *C'est pas facile d'être le père du fils d'Alain Delon !*

TOUS LES CRÉTINS DU MONDE

(*Tous les matins du monde.*
Alain Corneau. 1991)

Quand j'ai décidé d'écrire ce livre, j'ai puisé dans ma mémoire. Les premières phrases inoubliables qui sont remontées à la surface furent, évidemment, les plus poignantes : les miettes de pain de l'amoureux déçu et le courage du petit bonhomme de la fondation McDonald. Et tout de suite derrière, il y a eu une cascade de répliques toutes plus stupides les unes que les autres. Toutes ces maladresses, bêtises pures ou naïvetés primaires que j'ai entendues en quarante-cinq ans de pérégrinations artistiques dans la France profonde. Je vais t'en offrir quelques-unes.

La première phrase me vient logiquement parce qu'elle a un rapport avec le minichapitre précédent. Elle est sortie de la bouche charnue d'une « éphémère » à la terrasse du casino de Cannes, une nuit d'été. Celle que je nomme poliment « éphémère » était une de ces jeunes filles charmantes et très coûteuses qui suivent le sillage des vedettes. Pas celles qui sont amarrées à port Canto. Non, les stars de chair et d'os en balade sur la côte d'Azur. L'« éphémère » du jour n'était qu'un des éléments du trio qui accompagnait un humoriste célèbre. Pendant qu'il s'occupait des machines à sous du casino, je m'occupai des siennes ! La plus excentrique énumérait ses diverses rencontres de célébrités.

La phrase a jailli en même temps que son sein droit par la large échancrure de sa robe d'été :

— Il y a un mois, j'ai dansé en boîte à côté de Paul Belmondo… Tu sais, le fils de Delon !

De la réflexion de blonde pur jus ! Et pour ne pas choquer les féministes obnubilées par la parité, la deuxième phrase stupide vient d'un garçon supporter de foot et buveur de bière. Je ne peux pas être plus équitable. Match nul ! En fait, ils étaient deux à la terrasse d'une brasserie de la porte d'Auteuil, à Paris, à deux pas du Parc des Princes. La conversation était tendue. Ils s'inquiétaient du départ éventuel de Neymar du PSG. Une catastrophe, pour eux bien plus dommageable que l'embrasement de Notre-Dame de Paris, la veille. Chacun sa religion. En pronostiqueur averti, le moins véhément des deux misait sur un transfert au Barça. Apparemment, cet auteur de la phrase à venir était plus féru de passement de jambes que de mathématiques élémentaires.

— Il a raison d'aller en Espagne. Le salaire, là-bas, ils vont le lui tripler par quatre !

Un régal ! Quant à la troisième phrase inoubliable, elle m'a été adressée par un garçon bancal et simple et très peu épargné par la vie. Digne d'un roman de Zola. À la suite de sa réplique, c'est la compassion seule qui m'a aidé à refréner avec peine un fou rire irrésistible. Tu sais, le même genre de fou rire qui te prend à un enterrement pour quelqu'un en tenue bizarre ou un événement fortuit. Je sais que parmi ceux qui me lisent en ce moment, ça a dû arriver à certains. Je suis sûr qu'ils comprendront parfaitement l'effort colossal qu'il m'a fallu pour rester... de marbre, pour être raccord.

Ce n'était pas à un enterrement, mais à la sortie d'un spectacle, au moment de signer les autographes. Pendant que j'écrivais, le jeune homme a commencé à me raconter ses galères. Sans se plaindre. Et pourtant, il y avait de quoi. Entre autres, le chômage de longue durée pour cause de handicap, sa compagne qui s'était suicidée et sa gamine à l'hôpital. Alors, je l'ai emmené à l'écart pour tenter de mon mieux de lui mettre un peu de baume au cœur.

Je l'ai tellement bien réconforté qu'à la fin il m'a serré dans ses bras en me murmurant une phrase à l'oreille, dont je ne comprends toujours pas d'où peut provenir le lapsus. Ça ne se passait pas en Aveyron mais dans le Gard, et nous n'avions pas évoqué le moindre fromage. Toujours est-il qu'il m'a fallu une immense force intérieure pour garder mon sérieux après qu'il m'a glissé à l'oreille :

— *Tu m'as été d'un très grand roquefort !*

Avant de continuer le voyage au pays des bourdes imbéciles, il faut quand même que je précise qu'il n'y a aucun mépris de ma part pour les auteurs de ces âneries. Je m'en amuse, mais en aucun cas l'humaniste que je suis n'établira une échelle de valeurs entre moi et ces gens-là. Au nom d'une sentence que je t'invite à méditer. Je la tiens encore de ce prof de philo ivrogne dont je t'ai déjà parlé. *In vino veritas !*

— *Le premier pilier de la bêtise est de juger avec mépris l'intelligence des autres !*

D'autant plus qu'il peut arriver, même au plus brillant d'entre nous, de s'oublier le temps d'une connerie de compétition. Ce fut le cas pour cet ami chef d'entreprise au chiffre d'affaires astronomique avec lequel je dînais. Son intelligence supérieure lui avait permis de conquérir de nombreux marchés mondiaux. Il était diplômé et parlait six langues. Ce qui ne l'a pas empêché d'avoir une lacune de concours dans la sienne.

À la table d'à côté, une femme enceinte dînait avec son mari. Soudain, elle a commencé à se plier en deux de douleur. Le chef d'entreprise s'en est inquiété. Et le mari a lancé :

— *Je crois qu'elle perd les eaux !*

Ils ont quitté la table rapidement, direction la maternité. Quant à nous, nous avons repris notre repas en commentant l'incident. L'occasion pour mon ami de disserter en ethnologue sur l'excès de naissances sur le continent africain qu'il connaissait bien. Il m'a abreuvé de statistiques et de barèmes de croissances dont j'avoue que parfois la complexité technique me dépassait.

Enfin, bref, une argumentation de spécialiste hautement qualifié à l'intelligence indiscutable. Ce qui ne l'a pas empêché de sortir une énormité digne du plus primaire d'entre nous. Il aurait été humoriste, j'aurais certainement applaudi au jeu de mots. Mais la réflexion qu'il m'a faite était la plus sérieuse qu'il soit. Sans aucun deuxième degré. En me l'offrant, il a même pris un air réellement préoccupé pour les futurs parents partis précipitamment à la maternité :

— *Ça doit être terrible pour eux. Si le bébé perd les os, il n'arrivera jamais à se tenir debout !*

Une merveille !

La dernière stupidité inoubliable de ce minichapitre n'a pas été drôle pour moi. Mais alors, pas drôle du tout. C'était en juin 1993. Je roulais sur l'A71 près de Vierzon sous un orage terrible. L'aquaplaning m'a expédié sur un talus qui a fait tremplin. Ma voiture s'est envolée à trois mètres avant de retomber sur le toit et de faire plusieurs tonneaux. La chance que j'ai eue, c'est qu'elle ne s'écrase pas sur la route, mais dans le fossé qui a amorti le choc. C'est vraiment un miracle que je m'en sois sorti. J'avais la quatrième dorsale fracturée, des contusions multiples et le front largement ouvert. Je me suis glissé hors de la voiture comme j'ai pu. La pluie tombait toujours drue.

Je saignais abondamment et j'avais de terribles douleurs dans le dos. Une voiture s'est arrêtée. Le conducteur s'est précipité à mon secours.

La première phrase de bienfaiteur qu'il m'a dite mérite d'entrer dans les archives de la bêtise universelle :

– *Merde alors ! Patrick Sébastien ! C'est con, j'ai pas mon appareil photo !*

PATRICK LA GAFFE

(*Gaston Lagaffe*. Pierre-François Martin-Laval. 2017)

Depuis le début, je cite les phrases inoubliables que j'ai entendues ou qu'on m'a rapportées. L'honnêteté veut que je ne passe pas sous silence les phrases dont j'ai été l'auteur malheureux et qui pour mes interlocuteurs furent certainement tout autant inoubliables. Les bourdes, les gaffes. Honte à moi ! C'est bien beau de se moquer de la bêtise des autres, encore faut-il reconnaître la sienne. Et Dieu sait que dans la catégorie « gaffe de concours », il m'est arrivé d'être un seigneur pitoyable.

On peut considérer la première de ces gaffes comme une juste punition. *Mea culpa !* C'était dans mes plus belles années de cavalcade. Celles où je chassais les jupons à une cadence infernale. Trappeur d'opérette. Buffalo débile ! J'avais une technique de séduction parfaitement éprouvée. Une rhétorique de drague imparable. Bien obligé. Le ciel ne m'ayant pas doté d'un charme physique indiscutable, il fallait bien parler pour convaincre. Et je dois avouer, en toute modestie, que dans ce domaine, j'étais assez doué.

La jeune fille était devant moi, tout ouïe. Je lui alignais un à un les poncifs du baratin élémentaire. Les flatteries, évidemment, sur son physique, sa rareté, son aura solaire. Une règle de base. Parler d'elle bien plus que de soi. Élégant, et respectueux avec un petit éclair d'humour plus osé de temps en temps. Première étape. Ensuite, glisser sans à-coups vers l'essentiel : l'urgence de consommer au plus vite. Avec des arguments dépassant les envies primaires. Amener le débat sur le terrain de la temporalité.

– *Qui sait de quoi demain sera fait ?*

Ou encore :

– *Et si la vie décidait de nous accabler du pire, ne regretterions-nous pas de n'avoir pas profité de ce qu'elle nous offrait de meilleur ?*

Bref, un feu d'artifice de banalités pseudo-ésotériques hypocrites pour en arriver à une réalité bien plus terre à terre, ou plutôt couette à couette : s'allonger l'un contre l'autre. La jeune fille m'a laissé tendre pendant une heure les fils de ma toile. Elle approuvait pratiquement tout, souriante et apparemment très favorable à mes avances. Mais en minaudant pour la forme, histoire de laisser le coq imbécile savourer ses forfanteries de basse-cour. Elle hésitait encore sur le fait de n'être qu'une parmi tant d'autres. J'ai placé l'estocade, en lui jurant que, même si on ne se connaissait que depuis quelques heures, et que notre union ne devait être que passagère, elle me marquerait pour toujours. Et surtout que, quoi qu'il en soit, je ne l'oublierais jamais.

J'ai demandé :

— *Tu me crois, j'espère ?*

La plus grande des hontes peut tenir dans une toute petite phrase. Elle m'a fait un immense sourire en lâchant, sincère et triviale :

— *Oh, oui, je te crois ! C'est exactement ce que tu m'as dit il y a six mois juste avant de me sauter !*

La panne sexuelle peut nous rendre calamiteux, la panne de mémoire, bien plus ! Évidemment, le remake n'a pas eu lieu. La juste punition pour l'infâme chasseur de fond. Une leçon qui par la suite, à chaque tentative de drague, me fera entamer systématiquement la conversation par un prudent :

— *On s'est déjà rencontrés, non ?*

Il y a une autre gaffe inoubliable qui me vient à l'esprit. Mais, par bonheur, je n'en ai pas l'exclusivité. Je connais au moins dix personnes qui ont fait la même. Ça n'atténue pas, mais ça console. C'est un classique, hélas ! La question dont on se mord les lèvres de l'avoir posée, une fois qu'on s'aperçoit qu'elle est totalement inadéquate. Elle s'adresse à une femme dont le ventre proéminent nous fait supposer, à tort, qu'elle est enceinte :

– *Alors, c'est pour quand ?*

Bien entendu, tu imagines aisément la gêne quand la femme te répond :

– *Pour quand quoi ?*

Il faut un vrai talent d'à-propos pour effacer la maladresse. Ce qui a donné lieu pour un couple d'amis à un rattrapage miraculeux. Mais qui, par la suite, s'est avéré aussi désastreux que la bourde elle-même. On va conserver à ce couple l'anonymat et les appeler Pierre et Sylvie pour ne pas leur infliger une honte supplémentaire. Pierre et Sylvie avaient donc croisé une amie qui avait pris quelques kilos depuis la dernière fois où ils s'étaient vus. C'est Pierre qui a fait la gaffe du « C'est pour quand ? ». Et la femme qui n'était absolument pas enceinte, mais juste grosse, a donc lancé :

– *Pour quand quoi ?*

Le premier réflexe de sauvegarde a été habile. Comme Pierre s'est souvenu d'un coup qu'elle devait convoler bientôt, il a dit, après une légère hésitation :

– *Euh… Pour quand le mariage ?*

Superbe rétablissement dont il était particulièrement fier. Jusqu'à l'enchaînement assassin de Sylvie qui claironna sans attendre la réponse :

— *Le mieux, pour la robe, c'est d'attendre que ton bébé soit né !*

La dernière gaffe inoubliable de ce minichapitre est presque de la même famille. Elle concerne la merveilleuse Maurane. Dieu ait sa belle âme ! C'était une femme magnifique et une artiste rare. Quinze jours avant sa mort, en 2018, je l'avais croisée sur le trottoir de sa maison de disques. On avait ri ensemble au souvenir de cette gaffe monumentale qui nous liait. Elle datait d'une trentaine d'années. C'est dire si elle était inoubliable ! À l'époque, mon émission s'appelait : *Sébastien, c'est fou !* Les artistes s'y déguisaient en d'autres artistes. Précision technique importante, hors le maquillage, il y avait des ajustements physiques pour que l'illusion soit parfaite. Par exemple, si un artiste de corpulence moyenne voulait se donner l'apparence d'un Pavarotti, les costumières le rembourraient avec de grosses couches de coton.

Ce jour-là, j'avais convaincu Maurane de se glisser dans la peau de la grande Ella Fitzgerald. Et en plus elle ne chantait pas sur le play-back de la star, comme c'était la plupart du temps le cas, mais avec sa propre voix. La copie conforme était saisissante. Les maquilleurs lui avaient noirci la peau. Elle était une Ella plus vraie que vraie. Toutes les proportions y étaient, jusqu'à la forte corpulence de la diva du jazz. Quand elle est entrée sur le plateau, je me suis approché au plus près pour la féliciter de cette transformation étonnante. Je l'ai attrapée par les hanches et je lui ai dit.

— *Tu es magnifique ! Ils t'ont super bien rembourrée !*

Le compliment a été inoubliable pour elle. Sa réponse encore plus inoubliable pour moi. Ma honte, ce jour-là, n'a pas tenu dans une phrase, seulement en un mot.

– *Non !*

T'AIME PAS

(*T'aime.* Patrick Sébastien. 2000)

Le minichapitre précédent était un bel exemple d'autoflagellation. Autant continuer. Ce n'est pas du masochisme, c'est juste une thérapie. Reconnaître ses fautes pour se les pardonner à moitié. Et encore, dans le cas présent, les fautes n'étaient pas si grandes. Faute de succès, faute de public, c'est vrai, mais faute de moyens et surtout faute d'image. Mon film *T'aime* n'a pas marché. Pire, il s'est fait démolir par la critique. Avec toutefois un bémol particulier. Certains y voient un nanar, d'autres un chef-d'œuvre. Cette lutte continue d'ailleurs sur le Net entre les fans et les éreinteurs.

Cela m'amuse au plus haut point. Parce que je pense que ce n'est ni l'un et encore moins l'autre. C'était un petit film sincère et un peu maladroit, mais j'ai vu bien pire. Son plus grand défaut fut d'avoir été proposé par le même Patrick Sébastien qui à ce moment-là faisait un carton en chantant « Le petit bonhomme en mousse ».

Alors, un film grave et volontairement naïf ayant pour thèmes principaux le viol, la folie, la culpabilité et le pardon, ça entamait fortement sa crédibilité. Et ils s'en sont donné à cœur joie, les flingueurs. L'occasion pour moi de recevoir un de mes plus beaux cadeaux d'anniversaire de la part de Jean-François Balmer, un des acteurs principaux du film. Pour mes quarante-huit ans, il est arrivé les mains vides et m'a dit :

— J'ai parlé avec le mec de France Inter qui a démoli ton film. Quand je lui ai demandé s'il l'avait vu, il m'a répondu : non. Bon anniversaire, Patrick !

Comme dans tout revers, je ne garde que les bonnes choses de l'aventure. La passion, d'abord. On a monté ce film sans grands moyens, sans expérience, avec la seule volonté qu'il existe. Et il existe. Cela suffit à mon bonheur. Et qui sait si, avec le recul et de la bienveillance, certains n'y verront pas un ovni, sans génie c'est sûr, mais bien plus attachant qu'on ne l'a dit à l'époque ? Et puis la belle distribution. Myriam Boyer, Michel Duchaussoy, Jean-François Balmer, Annie Girardot, entre autres. Et des souvenirs majuscules de tournage tout autour de mon antre. De Martel à Rocamadour.

Dans les dialogues, j'avais recyclé tout un tas de phrases inoubliables entendues çà et là. L'une d'elles, que j'ai mise dans la bouche de Marie Denarnaud, l'actrice principale, venait d'un judoka foudroyé par un chagrin d'amour. Une montagne de muscles que j'avais croisée, il y a bien longtemps, une nuit à l'Élysée-Matignon, en larmes. Avec mon ami Thierry Rey on essayait de le consoler de notre mieux. Rien n'y faisait. Il balbutiait qu'il ne pouvait pas se passer d'elle. Là, l'argument imparable a jailli. Je lui ai dit :

– *Avant de la connaître, tu pouvais t'en passer !*

Pas si imparable que ça. Sans doute l'autodéfense du judoka adaptée à l'atémi sentimental. Il a levé vers nous ses grands yeux pleins de larmes, et nous a murmuré :

– *Avant, je l'attendais !*

Ippon !

Et puis cette autre phrase que j'ai offerte en réplique dans le film à une Myriam Boyer magistrale comme toujours face à un Jean-François Balmer nu. Je la tenais d'une vieille copine qui deux ans plus tôt avait retrouvé son premier grand amour. Trente ans après une rupture très violente excessivement douloureuse pour elle. Dans le scénario, j'ai reproduit exactement la scène qu'elle m'avait racontée. Ça se passait dans une petite chambre d'hôtel où ma copine et son vieil amour s'étaient fixé rendez-vous. Histoire de refaire l'amour trente ans plus tard. Comme ça. Pour voir.

Le temps avait fait son œuvre sur leurs sentiments. Chacun avait construit sa vie avec plus ou moins de bonheur. Les rancunes s'étaient éteintes. Il ne subsistait qu'une réelle tendresse mutuelle *in memoriam.* Et c'est au nom de cette tendresse qu'ils avaient décidé de passer une nuit ensemble. Le temps, hélas ! avait aussi fait son œuvre sur leur physique. Le beau jeune homme musclé était devenu un quinquagénaire affaissé. Flasque, gras et ridé. Qu'il était loin le prince charmant dont le goût de la peau avait été l'obsession de ma copine pendant de si longues années ! Quand elle l'a vu sortir nu de la salle de bains, elle n'a pas pu retenir une phrase qu'il aurait été cruel de dire à haute voix. Dans le film, Myriam Boyer la balance avec dégoût à Jean-François Balmer. Ma copine s'est contentée de la penser. Mais elle méritait bien de devenir une réplique de dialogue de cinéma :

— *Comment peut-on souffrir autant pour… ça ?*

Une autre phrase encore de la vraie vie recyclée dans le film. Celle d'une voyante qui m'avait déchiffré les lignes de la main pendant un autre chagrin d'amour. Le mien, cette fois-ci. J'espérais qu'elle m'annonce une possibilité de reprise avec celle qui m'avait laissé tomber. Elle a dû voir qu'elle ne reviendrait jamais, mais devant ma déprime, elle s'en est tirée avec ces mots qui lui permettaient de m'éviter un désarroi sans retour :

— *On peut lire dans la main des hommes, mais on ne peut pas lire dans le cœur des femmes !*

Cette phrase, je l'ai placée dans la bouche de la grande Annie Girardot. C'est d'ailleurs à elle que je dois l'ultime repartie de ce minichapitre. Mais elle n'était pas écrite dans les dialogues. Annie Girardot me l'a murmurée entre deux prises. En off. Une confession privée aussi bouleversante que les mots de son texte qu'elle déversait devant la caméra. Dans le rôle que je lui avais écrit, elle était parfaite. Usée, poignante. Même pas un rôle de composition.

Elle avait logé chez moi pendant tout le tournage. Tous les matins, je voyais arriver dans la cuisine de mon antre la petite dame fragile pour laquelle une bière fraîche tenait lieu de café du réveil. Fascinante, instable, cruelle, mais si forte d'un passé éclatant, elle était devenue la complice préférée de Camille, mon père de substitution. Chaque soir, je les laissais parler en tête à tête. Camille était aux anges. La grande Annie, la star, lui déversait avec tendresse ses amis, ses amours, et surtout ses emmerdes. Et moi, je jubilais de voir ce taiseux de campagne recevoir des confidences où se croisaient Gabin, Brando, Montand, Belmondo. Des intouchables que justement, là, il pouvait toucher des mots.

Personne ne se doutait que les prémices de la maladie d'Alzheimer qui emporterait Annie onze ans plus tard étaient là, tout près. Je suis même persuadé que les premiers symptômes sont apparus pendant le tournage de *T'aime*. Et plus particulièrement à un moment bien précis. Il faisait très chaud et nous tournions une scène onirique en costume d'époque. Un bal viennois. Elle devait dire une phrase toute simple. Mais elle n'y arrivait pas. Elle a buté trois fois dessus avant de s'énerver contre la chaleur, responsable pour elle de son bafouillage. En diplomate, j'ai écarté tout le monde du plateau et je suis resté seul avec elle. Prévenant, bienveillant, j'employais les mots les plus doux pour la rassurer. Pas de souci, elle avait raison, c'était la chaleur.

La phrase qu'elle me dira ensuite restera toute ma vie gravée dans ma mémoire. Elle est déchirante. Et au-delà, elle fait résonner en moi un sale présage. Celui du dernier gong, du dernier abandon dans le combat de ma vie. Quand les lumières du ring m'éblouiront et qu'à bout de coups, il faudra jeter l'éponge. Annie s'est penchée vers moi, elle a attrapé ma main et l'a serrée fort. Elle a baissé la tête pour que je ne voie pas le désespoir dans ses yeux.

Et elle a murmuré, terriblement lasse :

— *Tu vois bien que j'y arrive plus !*

LES BONHEURS D'ALBERT

(*Les Malheurs d'Alfred.* Pierre Richard. 1972)

On reste dans le septième art. Avec monsieur Albert. Dupontel. Parmi toutes les stars d'aujourd'hui que j'ai aidées à éclore, c'est sans doute celui dont je suis le plus fier. Je suis le producteur et le propriétaire de tous les spectacles d'Albert sur scène. Tout a commencé à la fin des années quatre-vingt grâce à une cassette perdue au fond d'un des tiroirs de mon bureau. Là où s'entassaient à l'époque les espoirs d'une foule d'humoristes amateurs.

Mon émission de télé ultra-populaire *Sébastien, c'est fou !* était une fenêtre sur la gloire. Je choisissais à qui l'ouvrir au seul gré de mes coups de cœur. Un après-midi d'ennui, j'ai découvert le génie de cet homme. Pourtant, pas facile à décrypter. Une cassette de mauvaise qualité enregistrée dans une salle minable. Mais j'ai eu, comme souvent, le feeling. Le pif, comme on dit. Et surtout l'admiration. Je l'ai appelé. Je l'ai senti un peu désorienté par l'enthousiasme de cet animateur à paillettes si éloigné du théâtre d'Antoine Vitez dans lequel il opérait. Tu la vois la distance ? Mais bon, matériellement, pour lui, c'était la galère. Il m'a avoué en rigolant :

— *Je mange du dentifrice sur du pain. Ça coupe la faim !*

Il a dit « oui » à mon coup de main lucratif. Et au-delà, mon enthousiasme l'a convaincu d'accepter aussi que je le produise sur scène. Avec une condition : il ne passait par le one-man-show que pour aller vers le cinéma, sa vraie passion. Le succès a été phénoménal. Tous les soirs, j'étais au spectacle, et après on dînait ensemble. L'occasion de comparer nos mondes. Nos âmes aussi. Finalement pas si éloignées l'une de l'autre malgré les apparences. Il a vite compris que, sous la façade, j'étais parfois bien plus underground que lui qui l'était déjà beaucoup. Au point que, plus tard, quand un journaliste branché émettra des réserves sur cette alliance hétéroclite entre nous, il répondra :

— *D'accord, Sébastien, c'est les paillettes, le facile. Mais s'il tue quelqu'un, il peut venir cacher le cadavre à la maison !*

Des phrases inoubliables, il y en a eu beaucoup entre nous. De la diplomatie de ma part à chacune de ses incartades musclées sur ceux qu'il considérait comme des crétins irrécupérables… avec raison. Véritable force de la nature, l'animal était sanguin et redoutable en baston ! J'ai eu un mal fou à lui trouver un théâtre dans lequel il ne se soit pas embrouillé violemment avec la direction. Et parfois à coups de poing. Avec une explication sans doute dictée par un atavisme formaté par un père médecin :

— *La connerie, c'est contagieux. Je les cogne pas, je me vaccine !*

Pour rester dans la métaphore médicale, chaque fois que j'assistais à son spectacle je ressortais guéri de mon spleen du jour tant le bonhomme était brillant. Un anxiolytique en live. Le théâtre Tristan-Bernard où il a officié quelques mois bruissait à chaque représentation d'applaudissements sans fin. Avec parfois des *standing ovations* entre deux sketches. Rare. Très rare dans notre métier. Avec, juste pour toi, un nouveau souvenir « musclé » en prime, un soir d'irritabilité.

À la fin de son spectacle, au salut, la lumière faisait un « noir » d'une trentaine de secondes. Il en profitait pour sauter de l'avant-scène sur un matelas installé devant le premier rang. Il cavalait dans l'obscurité pour ressortir par une trappe en plein milieu de la scène. Effet garanti. Ce soir-là, un spectateur de ce premier rang très aviné lui avait balancé à plusieurs reprises quelques réflexions d'ivrogne. J'avais été surpris qu'il ne réplique à aucune. Je n'imaginais pas que sa réponse serait aussi tardive.

Au moment où la salle s'est vidée, le spectateur inconvenant du premier rang est resté endormi sur son fauteuil. En ex-buveur de fond, je reconnaissais bien là un de ces sommeils instantanés qui t'anesthésient au-delà de la dose supportable d'alcool. J'ai exprimé le fruit de mon expérience à Albert :

– *J'ai bien connu ça quand je picolais ! Le pinard l'a achevé.*

Il a balayé mon argument d'un grand sourire :

– *Non, c'est la droite que je lui ai mise dans sa gueule de con qui l'a endormi !*

C'était tout ça, Albert. Et je dois dire que ces dérapages ne m'ont pas choqué outre mesure. Parce que autant dans sa façon de se donner au public que dans ses excès de caractère, il était entier. Sans concession. En bâtisseur anarchique. Tellement loin de la plupart de ces comiques de la nouvelle génération qui dessinent leur plan de carrière en architectes appliqués.

Et puis il y a eu ce beau moment d'homme à homme, quand il a décidé d'abandonner définitivement la scène pour le cinéma. En demandant au producteur que j'étais de ne plus jamais montrer ses images de showman. Je n'ai pas hésité une seule seconde. Je lui ai serré la main, et en le regardant dans les yeux, j'ai dit :

– *OK, tu as ma parole !*

Ça suffisait. Une confiance de vrais hommes bien loin des obligations contractuelles sur papier officiel de ce métier. Une main qui tape dans l'autre les yeux dans les yeux. À l'ancienne. À la loyale. Et j'ai tenu mon engagement, même quand, à cause de circonstances économiques difficiles, certains me poussaient à renier ma parole. Il le savait bien, mon cher Albert, qu'il y a des choses qui ne se font pas entre bandits d'honneur. Ce n'est que bien plus tard, pour financer un de ses films, qu'on se résoudra, d'un commun accord, à sortir son œuvre de scène en DVD.

L'artiste me fascine par son intelligence. Aussi bien dans son art que dans le regard sans faux-semblant qu'il porte sur toute chose. Parmi ses phrases inoubliables, il y a cette analyse du Festival de Cannes. Un cérémonial où l'on récompense le plus souvent les films qui peignent le pire de l'humanité. La misère, la guerre sont des atouts majeurs pour remporter un prix. Précarité pour palme d'or. Et c'est vrai que les soirs de premières scintillantes de bijoux et de robes en lamé, j'ai toujours une pensée émue pour le migrant, la cancéreuse, le chômeur, ou l'enfant violé qui parfois jouent leurs propres rôles. Tous ces laissés pour compte qui vont permettre à celui qui les a filmés d'aller fêter ça sur un yacht entre champagne et cocaïne. Albert a bien résumé cette incongruité, à l'image d'une société indécente :

– *Cannes, ce sont des riches qui s'assoient pour voir jouer des pauvres. Le contraire du foot où ce sont des pauvres qui s'assoient pour regarder jouer des riches !*

Albert a réussi son pari. C'est un grand acteur et un grand cinéaste. C'est le merveilleux paradoxe de cet homme qui a été révélé par la télévision et qui n'en a surtout pas chez lui. Insensible aux honneurs si ce n'est l'honneur de bien faire. Sans concession aucune au paraître. Tout ce que j'aime. Parce que même le succès ne lui a pas enlevé la moindre once d'intégrité. Fidèle à ses révoltes. La preuve : cette soirée récente des Césars où il a reçu le prix de la meilleure mise en scène. Applaudissements et reconnaissance de toute la profession. Il n'y était pas présent, évidemment. Le contraire m'aurait surpris. Au moment de l'annonce de la distinction suprême, je lui ai envoyé un SMS :

— *T'es où ?*

La réponse m'a ravi. Je n'en attendais pas moins :

— *Au lit avec un bon livre !*

RIMBAUD IV

(*Rambo III.* Peter MacDonald. 1988)

Rimbaud pour la poésie. Et quatre pour le nombre de phrases poétiques inoubliables que je vais t'offrir. Si tu aimes vraiment la poésie, je te conseille surtout les trois premières. Arrête-toi là. La dernière pourrait froisser ta pudeur. Mais il faut de tout pour faire un monde. De la poésie donc, avec en plus, chaque fois, la lune pleine en décor céleste. De la poésie mais pas forcément sous forme d'alexandrins. Même si, par presque homonymie, le hasard fait bien les choses puisque la première muse s'appelait Alexandra.

C'était la petite fille d'un couple d'amis. Elle avait huit ans. J'étais de passage chez eux dans le Var, après un spectacle à quelques encablures de Toulon. J'étais assis sur le perron avec la petite merveille aux cheveux bruns bouclés et ses parents. Elle fixait intensément la lune pleine dans un ciel d'été magnifiquement étoilé. Je lui ai dit que maintenant on pouvait aller marcher là-haut, mais que c'était très loin. Alexandra fit une moue avant de m'affirmer que c'était sûrement moins loin que Toulon. J'ai souri et j'ai demandé ce qui lui faisait dire ça. Sa réponse en prose était tout aussi poétique que si elle me l'avait dite en vers :

– *Ben oui, c'est moins loin ! Parce que d'ici on voit la Lune, mais d'ici on voit pas Toulon !*

Ce joli mot d'enfant m'a renvoyé à mon enfance à moi. J'ai eu immédiatement une pensée nostalgique pour Pierrot, un vieux monsieur de Juillac, mon village de Corrèze, qui nous accompagnait dans nos balades au clair de lune, les soirs d'été, sur la route d'Objat. Le bon temps. Sans télé, sans smartphone. Où les nuits de beau temps, on se contentait d'une promenade toute simple sous les étoiles. Le parfum des foins coupés et les stridulations des grillons nous accompagnaient. Dieu qu'ils me manquent, ses instants suspendus… à la lune qui faisait lustre !

Au mois d'août 1969, j'avais quinze ans. Et j'avoue que j'étais plus sensible à la poésie qu'aux progrès techniques de l'humanité. On avait marché sur la Lune. Bravo ! Ça m'avait touché, bien sûr, mais pas plus que ça. Mes copains me le reprochaient d'ailleurs. Comment pouvais-je être si peu concerné par ce petit pas pour l'homme et ce grand pas pour l'humanité ? Je me défendais en répondant que, pour moi, cette humanité avait bien d'autres pas à faire avant de piétiner un astre lointain. Des pas vers ceux qui souffraient, qui mouraient de soif ou de faim. Déjà humaniste et idéaliste. Avec, déjà aussi, des métaphores hasardeuses que je voulais philosophiques. Sur le progrès à tout prix, par exemple :

— *Ça ne sert à rien d'avancer ta montre. À minuit, il sera toujours minuit moins dix !*

Bon, je t'avoue que celle-là, même moi, j'avais du mal à la comprendre. Mais, bon, ça me classait encore une fois dans la marge. Et, comme on dit aujourd'hui chez les gens branchés : j'adorais l'idée.

Par bonheur, ce soir de conquête historique, alors que la conversation évoquait l'événement, Pierrot m'a rassuré. Je n'étais peut-être pas tant que ça le rabat-joie de service. Pierrot était artisan mais, à ses heures perdues, il écrivait des quatrains. C'était sa passion secrète. Très secrète. D'ailleurs personne n'avait jamais eu le droit d'en lire un seul. La pudeur, certainement. Dommage ! Parce que la phrase qu'il m'a dite était le sceau d'une véritable âme de poète. À l'instar de la « cime de l'arbre », dont Chirac me parlera bien plus tard, il m'a glissé :

— *Aller sur la Lune, c'est bien pour les scientifiques. Mais pas pour les poètes. Parce que quand tu es assis sur la Lune, tu ne vois pas la Lune !*

Ce qui va suivre maintenant est inédit pour moi depuis que j'écris des livres. On reste dans le poétique au clair de lune. Je vais te livrer huit vers d'amour absolu. Mais ces vers ne sont pas de moi. Ni d'un poète célèbre. Je les ai reçus d'un inconnu par courrier, l'hiver dernier. Celui qui me les a envoyés m'a expliqué dans sa lettre les circonstances de leur création. Il était seul, une nuit d'été, face à l'océan du côté d'Hossegor. Celle qu'il aimait venait de le quitter sans laisser aucune adresse. Alors, ces vers lui étaient venus, comme ça. Sans calcul. Dans son courrier, il me demandait d'inclure si je le pouvais ce minipoème dans un de mes livres. Celle qui l'avait quitté avait lu tous mes précédents. Peut-être lirait-elle celui-là. Alors voilà ! L'espace de deux quatrains, je ne suis plus auteur, mais messager. Si tu me lis et que ces vers sont pour toi, tu t'appelles Céline. L'auteur se nomme Adrien.

Hier soir à la même heure je t'embrassais encore
Un peu avant la fin, juste avant notre mort.
Et voilà qu'à présent, il ne me reste rien
Si ce n'est, sur mes lèvres, le goût de ton parfum.

Es-tu là dans le ciel, là-haut sur une étoile ?
Brilles-tu pour un autre en aurore boréale ?
Où que tu sois partie même au plus loin de moi
Sache que pour toujours je n'aimerai que toi.

Pas mal, comme Chronopost ! Livraison gratuite.

Voilà pour les premières phrases inoubliables de ce mini-chapitre consacré à la poésie. Comme je t'en ai avisé, tu peux, si tu le souhaites, passer dès maintenant au suivant. La suite est poétique, certes, mais son dénouement pourrait te dérouter. Tu restes quand même ? Soit ! Tu l'auras voulu.

C'était en septembre. Juste après le mois d'août de la même année. 69, année érotique. Un an avant, mai 68 avait libéré les audaces. Mais malgré l'overdose de libertés à tout va, et en particulier dans le domaine sexuel, je restais un garçon plutôt romantique. Eh oui ! Réservé et romantique. Le sexe m'intéressait fortement. La preuve, j'avais commencé très jeune, deux ans plus tôt. Mais j'étais de ceux qui y mettaient encore les formes.

Cette nuit-là, tout était réuni pour une idylle de rêve. La lune était encore pleine sur les dunes de Marseillan-Plage, dans l'Héraut. Ma dulcinée s'appelait Jeanine. Bon, d'accord, un prénom pas très propice à une tirade amoureuse, mais on ne choisit pas son époque. Elle était vraiment belle. Et involontairement indécente à souhait dans sa robe légère dont la moindre brise soulevait le tissu, me laissant entrevoir un paradis sombre derrière la petite culotte transparente. Encore un marqueur de l'époque. La toison d'or était notre graal.

Dans l'après-midi, en prévision du rendez-vous qu'on s'était donné pour le soir, j'avais affûté ma plume. Les mots rimés étaient déjà pour moi un cheval de bataille. Une différence que mes copains ne maîtrisaient pas. Éthéré peut-être, mais diablement efficace. J'avais déjà fait tomber plusieurs sirènes dans mes filets avec des sonnets bien troussés. Là, j'avais mis le paquet. J'avais même volé le point sur le « i » du verbe « aimer » au Cyrano de Rostand.

À la fin de mon poème, j'ai montré la lune, en rimant à Jeanine un voyage imaginaire dans les étoiles. Rien que nous deux. Serrés l'un contre l'autre. Seuls dans une constellation d'amour. Mes derniers mots annonçaient que l'embarquement pour Sirius était imminent. À la fin de mon poème céleste, je m'attendais à un merci admiratif qu'aurait suivi un baiser tendre et langoureux.

Elle a juste lâché cette phrase que je n'oublierai jamais :

– *OK, on embarque ! Mais tu préfères pas que je te suce avant ?*

J'avais prévenu !

JACQUOU LE CROQUEUR

(*Jacquou le Croquant.*
Laurent Boutonnat. 2007.)

Comme promis, un deuxième minichapitre consacré à Chirac. Chichi pour les intimes. Et « Jacquou le croqueur » pour les encore plus intimes. Croqueur de vie. Croqueur de pommes, l'emblème de sa campagne électorale présidentielle victorieuse. Et bien sûr, croqueur de femmes. Aujourd'hui, ce n'est plus un scoop. Au grand dam de sainte Bernadette.

Avant de développer, petite parenthèse liturgique. Il y avait quelque chose de christique chez Chirac. Bernadette, bien sûr, le même prénom que sainte Soubirous de Lourdes. Les initiales : JC. Il y a même en Corrèze un village qui s'appelle Nazareth ! Arrêtons là le parallèle pour ne pas que certains s'indignent d'avoir été comparés à Judas ou Ponce Pilate. Pas la peine de citer les noms, tu les connais. Et revenons à Jacquou, le croqueur de femmes. Et la phrase que le Tout-Paris s'échangeait à l'époque, un sourire coquin aux lèvres :

— *Chirac, c'est trois minutes, douche comprise !*

C'est ce que la légende disait de la durée des rapports sexuels de l'homme pressé. Je n'ai pas été assez intime pour te le confirmer… à trente secondes près. Par contre, ce que je te confirme, c'est son appétit affirmé pour le beau sexe. Avec cette phrase inoubliable qu'il m'a dite en réponse à une question traditionnelle que je lui avais posée :

— *Dis-moi, Jacques, qu'est-ce que tu regardes en premier chez une femme ?*

Là aussi, ça aurait pu être du Guitry :

— *Ce que je regarde en premier chez une femme, c'est si la mienne me surveille !*

L'humour du grand bonhomme m'a toujours enchanté. Avec une particularité triviale que j'évoque dans mon spectacle intime *Avant que j'oublie*. Jacques adorait les histoires osées. Je dirais même que les plus trash étaient ses préférées. Mais en catimini bien entendu. Et surtout loin des oreilles de Bernadette qui ne supportait pas ça. Ce qui pouvait donner lieu à des apartés délicieux. On entendait « le grand » rire aux éclats. Et quand Bernadette demandait :

— *De quoi riez-vous ?*

Il répondait :

— *De rien… de rien.*

Un soir d'anniversaire, dès mon arrivée, il m'a sollicité pour savoir si j'avais une nouvelle blague salace à lui proposer. J'en avais effectivement une très grossière. Je l'avais glanée à l'enregistrement des *Grosses Têtes* auquel j'avais participé deux jours plus tôt. Elle avait été racontée par Guy Montagné. J'ai expliqué à Jacques son origine en précisant qu'après en avoir ri copieusement, Philippe Bouvard avait demandé qu'elle soit coupée au montage. Pour ne pas se faire tomber dessus par toutes les associations prudes du pays. Nul doute qu'aujourd'hui une telle blague à la télé coûterait la tête de celui qui oserait la raconter. Mais bon. On était entre nous.

Je me suis lancé :

— *C'est la différence entre Bernard-Henri Lévy et Pascal Sevran. Bernard-Henri Lévy a le petit Robert dans la tête et Pascal Sevran a le gros Roger dans le c… !*

Effectivement, horriblement grossière. Avec une précision tout de même. J'avais déjà colporté la blague au principal intéressé, mon ami Pascal Sevran. L'homme était intelligent et drôle. Et après un « oh ! » de fausse indignation, il en avait ri, bien entendu. Comme c'est souvent le cas dans ce genre de « dérapage », l'offuscation de masse dépasse largement l'affectation de la prétendue victime. Et pour enfoncer encore plus le clou de l'autodérision, Pascal m'avait spécifié qu'il y avait dans l'énoncé de la comparaison une erreur de casting. Roger était pour lui un prénom d'une autre époque, incompatible avec ses préférences pour des partenaires d'une génération exclusivement actuelle. Mon Dieu qu'ils me manquent, ces esprits fins et libres de tout ! Paix à ton âme, mon Pascal !

Mais revenons à Chirac qui, à la chute de la blague, avait une fois de plus éclaté d'un rire sonore. Le problème, c'est que tellement empressé de raconter l'histoire, je ne m'étais pas aperçu que Bernadette était juste derrière moi. Elle avait tout entendu. Je m'attendais à une indignation de sa part. Et là, surprise ! Elle se tourna vers Jacques en disant :

— *Mais, elle est très drôle cette histoire !*

La réplique de Jacques est forcément inoubliable :

— *Ah oui ! Mais n'essayez pas de la raconter, vous allez confondre !*

La dernière phrase inoubliable de « *mister président* » que je veux t'offrir n'a pas été prononcée dans un repas d'amis. Je l'ai entendue au téléphone au bout d'une bien touchante obstination, quelques jours après son élection à la présidence. Le soir de son triomphe, même si j'en étais très heureux, je n'étais pas près de lui. Parce que, dans ces cas-là, j'ai toujours une pensée pour les battus, et la liesse des vainqueurs me dérange. C'est pas du foot !

Maintenant qu'il était président, l'essentiel était fait et on aurait tout le temps de se reparler. Les urgences étaient ailleurs. J'avais juste oublié que chez ce genre d'homme, l'amitié et la reconnaissance sont aussi des urgences.

Le lendemain, lundi, il a cherché à me joindre. À cette époque, je n'avais pas de portable. Il a téléphoné à Martel, chez moi, à neuf heures du matin. Je dormais, bien sûr. Camille, impressionné, a demandé s'il fallait me réveiller. Mais non, il rappellerait. Et il a rappelé. Le mardi, le mercredi, le jeudi… Le vendredi, enfin, c'est moi qui ai décroché. Et encore une phrase inoubliable :

– *Putain, t'es plus dur à joindre que le président de la République !*

Tu as compris maintenant la tendresse que j'ai eue pour cet être hors normes. Et que ce qui me liait à lui va bien au-delà d'une simple aliénation de cour à un personnage d'État. La dernière visite que je lui ai rendue, quai Voltaire, m'a bouleversé. Il était diminué par la maladie. Je m'y attarde longuement dans mon spectacle intime. En insistant sur le moment de mon départ, quand il s'est appuyé sur mon épaule pour me raccompagner. Nous avons mis un temps interminable à faire à tout petits pas les trois mètres qui nous séparaient de la porte d'entrée. J'en aurais pleuré.

Cela m'a inspiré le texte d'une chanson que j'accole sur scène à ces confidences intimes le concernant. Les paroles de cette chanson évoquent la futilité de nos existences quel que soit notre piédestal. Et surtout notre fragilité devant le temps qui passe, impitoyable. L'inutilité de nos forfanteries aussi. Dans le cas où nos succès nous placent sur des trônes somme toute dérisoires. Avec, comme refrain, une phrase que m'avait dite l'incontournable Frédéric Dard lorsque j'évoquais avec lui son hypothétique postérité. Encore une repartie ultra-lucide sur l'insignifiance de nos gloires éphémères, une fois nos corps ensevelis. Le vieux fœtus blasé m'avait dit :

— *À quoi ça sert d'avoir ton nom dans le dictionnaire ? Ça sait pas lire, un ver de terre !*

SEIZE MOTS SUR ORDONNANCE

(*Sept morts sur ordonnance.*
Jacques Rouffio. 1975)

— *Docteur, je ne suis pas hypocondriaque, vous croyez que c'est grave ?*

Une petite phrase d'introduction à ce minichapitre pathologique. Les hypocondriaques se portent souvent bien mieux que les toubibs chez lesquels ils ont une carte de fidélité à l'année. Au contraire de beaucoup de gens de ma profession, j'ai la chance de ne pas en être. Et heureusement pour moi. Parce que l'hypocondrie peut pousser à des inquiétudes tellement excessives qu'elles en deviennent risibles. Comme cet ami un peu idiot qui ne voulait jamais serrer la main d'un vieillard de peur d'attraper l'arthrose. Un beau sujet de film qu'a magnifiquement exploité Dany Boon. Un beau sujet de sketch aussi. C'est Coluche qui, en une phrase, a le mieux résumé ce qu'est cette maladie imaginaire. Le patient plie son coude en disant au docteur :

— *Quand j'fais ça, j'peux pas le faire !*

La preuve de l'absurdité de l'hypocondrie, en garantie de survie, je viens de la recevoir à l'instant par SMS. Un message de mon ami Fabien Lecœuvre dont je t'ai déjà étalé la connaissance du moindre souci vital des membres du show-biz. Fabien a aussi la particularité d'avoir été très proche de Claude François. C'est justement au sujet de Cloclo qu'il vient de m'envoyer un message. Il sait que je suis en train d'écrire ce que tu lis et m'appelle de temps en temps pour que je lui livre quelques-unes des phrases que je t'offre. Là, c'est lui qui s'est dit qu'il pourrait apporter une pierre à mon édifice.

Effectivement, c'est raccord avec l'hypocondrie dont je te parle depuis le début. Et c'est d'autant plus troublant que c'est au moment où je tapais les premiers mots de ce minichapitre que les mots de Fabien sont apparus sur mon portable. Le hasard ? Bien sûr que non. Nous savons, lui et moi, qu'il n'y a pas de hasard. Tout est déjà écrit. Le ciel décide pour nous. Il nous envoie même parfois des signaux prémonitoires.

En ce qui concerne Cloclo, l'éclair qui était le logo de sa maison de disques, Flèche, en était probablement un. La déclaration qu'il avait faite dans une interview en est peut-être une autre. Étonnante quand on connaît la suite. Cette déclaration date de janvier 1978. Deux mois avant l'électrocution dans sa baignoire. Je te reproduis mot pour mot ce que vient de me communiquer Fabien. Dans l'interview, Cloclo dit :

— *Ma salle de bains est une véritable pharmacie. J'ai plus de trois mille médicaments. Je peux tout soigner. Je m'y sens en sécurité.*

Plus hypocondriaque que ça, tu meurs ! C'est le cas de le dire.

Pour élargir le sujet, je t'avoue que je ne regarde jamais les séries qui se passent dans un hôpital. Comme lorsque je fuis les cimetières, j'ai la sale impression de visiter un appartement témoin. Petite parenthèse sociologique : je suis fasciné par l'attirance de la majorité des gens aujourd'hui pour les séries et autres fictions qui débordent de maladies, de meurtres, de viols de serial killers. Enfin toutes les joyeusetés morbides qui déferlent sur nos écrans. Quel ressort psychologique peut nous pousser à nous complaire à ce point-là dans le sinistre ? C'est un mystère que je demanderai à Dieu, le toubib en chef, d'éclaircir pour moi quand il me rappellera à lui. Pourvu que ce jour-là, je n'oublie pas ma carte Vitale ! Enfin, on n'en est pas encore là. Même si, à maintes reprises, je ne suis pas passé loin de la porte de sortie.

Je crois que le jour où j'ai frôlé l'évacuation au plus près, c'est quand un dermatologue m'a annoncé « avec délicatesse » que j'avais un cancer de la peau. Mais sans me le dire vraiment. J'avais fait l'analyse d'un grain de beauté suspect. Sur mon répondeur, il y avait un message me demandant, sans autres détails, de le contacter au plus vite pour étudier la manière d'envisager « la suite ». Quand je l'ai appelé pour lui dire que la façon était un peu brutale, il m'a répondu :

— Il y a des choses qu'on ne dit pas au téléphone !

Ben voyons ! Il venait de me le dire. Par la suite, il a été beaucoup plus cash. Il m'a expliqué qu'on ne savait pas si le mélanome infiltrant avait métastasé. Si c'était le cas, mon espérance de vie était très limitée. Dans le cas contraire, pas de traitement, une petite opération, on enlevait l'intrus et tout était terminé. Quoi qu'il en soit, je devais en urgence passer un PET scan qui déterminerait la gravité des choses. Voilà ! Fin du diagnostic. Raccrochage sec de téléphone. Débrouille-toi avec ça mon gars !

Quand j'ai passé cet appel téléphonique, j'étais seul dans un petit studio de RTL où je travaillais à l'époque. La phrase inoubliable que j'ai prononcée après avoir appris la mauvaise nouvelle, c'est à Guillaume Durand que je l'ai adressée. Donc, certainement inoubliable pour lui. Il traînait dans le couloir, et m'a vu sortir, la mine embarrassée. Il m'a demandé si j'avais un souci. Tu me connais maintenant. Il fallait dédiaboliser. Sortir tout de suite le nez de clown pour faire un pied de nez au destin. Je l'ai regardé le plus calmement du monde et j'ai dit :

— Je viens d'apprendre un truc astrologique, mais je me souviens plus du signe. Attends, je cherche… Capricorne ? Scorpion ?…. non… Verseau ? Non plus… Ah voilà : cancer ! C'est ça : cancer. C'est un cancer que j'ai !

L'examen au PET scan a révélé que les métastases avaient été évitées à un tout petit poil près. J'aurais attendu un mois de plus, c'était cuit. Ce qui fait que, rétrospectivement, le verdict du médecin en charge de l'examen de recherche restera certainement la phrase la plus inoubliable de ma vie pour l'instant. Puisqu'il m'a confirmé que cette vie pouvait continuer. J'attendais le résultat avec la grosse angoisse que tu peux imaginer. Le toubib a été magnifique. Il m'a fait entrer dans la cabine dans laquelle il était penché consciencieusement sur les images. Et sans lever les yeux, il m'a lancé :

— *Je vais commencer par les bonnes nouvelles. Ça tombe bien, il n'y a que ça !*

Chapeau ! Le sens du bon mot et du timing ! Sans doute s'est-il dit qu'il fallait adapter la formule au client. D'artiste à artiste. Son petit clin d'œil personnel au professionnel de la formule. Un peu comme l'autre clin d'œil que je recevrais quelques années plus tard de la part d'un autre spécialiste. Un ami gastro-entérologue qui me tannait depuis des années pour que je fasse, âge oblige, la coloscopie indispensable. J'adore le cinéma, mais j'avoue que j'étais assez réticent à l'idée de ce tournage indiscret dans mon intérieur intime. On avait déjà longuement plaisanté sur le sujet. Quand j'ironisais sur le côté pas très ragoûtant de sa spécialité médicale, il en minimisait l'ingratitude en m'affirmant :

— *Dans mon métier, je vois certainement passer moins de trous du cul que dans le tien !*

C'était il y a quelques mois seulement. Même si je ne montrais rien à mon entourage, l'éviction du service public m'avait quand même fortement contrarié. Au point de déclencher des séquelles digestives. Comme dit l'expression : « Ça avait du mal à passer. » Logique et inévitable. Il est bien connu que les contrariétés psychiques sont les premières à susciter des blocages organiques. Je me suis donc résolu à l'introspection filmée. Fibroscopie et coloscopie. La totale tant qu'on y était. Et bien sûr, le résultat, comme l'avait prédit mon ami toubib, était négatif. Rien de grave. C'était d'abord dans la tête. Je garde précieusement la prescription qu'il m'a faite. Magistrale. Seize mots sur ordonnance :

— *Si les symptômes persistent, va mettre un coup de boule à un mec de France 2 !*

MONSIEUR CLAUDE

(*Madame Claude*. Just Jaeckin. 1977.)

Nougaro. L'Occitan. Le prince cathare. Le Toulousain. Le poète. L'éclectique électrique. Le musichien de fusible. Alternatif dans le courant de la chanson française. L'effeuilleur de roses pourpres dans le lit de la Garonne. Là où il couchait ses rimes. Ses maîtresses. Le petit taureau aux sabots gantés de cuir. Boxe, boxe ! Étudiant appliqué de la faculté de s'en foutre. Titulaire d'une licence de l'être. Un sacré grand petit homme. J'ai partagé avec lui de trop rares moments d'intimité. Je garde précieusement son dernier livre de mots qu'il m'a dédicacé si délicatement ainsi :

— *Prends ça dans ta gueule !*

Ce que c'est que la poésie quand même ! Sa poésie à lui. Cet art inimitable qu'il avait d'empiler les images et les sons. Au point de se défier de lui-même quand le succès prenait le pas sur l'insatisfaction. Ça a été le cas à propos de son tube « Nougayork ». Celui qui a relancé sa carrière en perte de vitesse. Claude n'aimait pas vraiment « Nougayork ». Trop commercial. Il m'a exprimé sa retenue avec d'autres mots, bien sûr. Nougaresques. Forcément, il était tard dans la nuit. Il me l'a scandé en rimant :

– *Les doryphores ont remplacé les abeilles. Ils encensent ma purée de patates et ils ignorent mon miel !*

Agricole et désabusé. Avec le coup de pouce du petit verre de rouge, de blanc, de rhum ou de n'importe quoi. Avait-il besoin de ça pour avoir du talent ? Certainement pas. Mais les vapeurs d'alcool lui attisaient la malice. Ce fut le cas ce soir d'hiver au début des années quatre-vingt, où, après une émission, il m'avait embarqué chez lui. Des amis nous y attendaient pour un dîner d'après minuit. Il était convenu que nous devions rapporter le pain et le vin. Nous nous sommes arrêtés sur le chemin de Montmartre dans une épicerie fine du boulevard des Batignolles, « l'an 2000 ».

J'avais déjà rangé dans un panier cinq bouteilles de bon bordeaux lorsqu'il m'a demandé de les reposer. L'idée d'une soirée anti-alcoolique ne me semblait pas possible. Il m'a rassuré en me disant que, bien sûr, Bacchus serait le dieu de nos agapes. En Nougaro dans le texte. Et il s'est dirigé vers une immense bouteille presque aussi grande que lui. Quand je lui ai objecté qu'une bouteille de cette contenance, ça ferait peut-être trop, il m'a répondu avec un sourire coquin.

– *Pas pour l'annonce faite à Marie !*

Je n'ai pas compris pourquoi il me disait ça. Et j'ai bien sûr mis ça sur le compte d'un état d'ébriété déjà bien avancé. Ce n'est qu'à l'entrée de l'appartement que je saisirais la véritable raison pour laquelle il m'avait délesté des bouteilles que j'avais choisies pour les remplacer par ce qu'on appelle un « Balthazar ». Une bouteille de seize litres. Il a ouvert la porte et a lancé aux invités présents :

– *Et voilà les Rois mages ! Gaspard, Melchior et Balthazar !*

Tout ça pour ça ! Et ce fut une soirée de rêve. Avec, au passage, pour la petite histoire, une rencontre particulière. Bernard Lavilliers était là. Il avait emmené avec lui une jeune artiste qu'on ne connaissait pas. Elle chantait, mais une de ses spécialités était qu'elle imitait Michel Jonasz à la perfection. Et on a eu droit à un récital a cappella qui nous a bluffés. Je lui prévoyais une grande carrière. Elle l'a faite. Mais pas dans l'imitation. La jeune fille timide qui imitait Jonasz à la perfection, c'était Maurane.

Quand je repense à Claude, ce que je revois en premier, ce sont les nuits miraculeuses dans le studio de France Inter de mon vieux pote Jean-Louis Foulquier. Un autre essentiel, un vrai de vrai, envolé aujourd'hui lui aussi au paradis des anges de bistrot. Son émission *Studio de nuit* durait jusque très tard. Jusqu'à épuisement des bouteilles et des paquets de cigarettes dont les mégots jonchaient la moquette. Une oasis de politiquement très incorrect qui aujourd'hui ferait dresser sur la tête les maigres cheveux des membres du CSA qui aiment tant les couper en quatre. À l'envers du France Inter d'aujourd'hui et de ses journées « esprit fermé », c'était les nuits « portes ouvertes ». À tous. Vraiment tous. Sans discrimination prétendument qualitative. De Ferré à François Valéry et de Higelin à Carlos.

Claude était là souvent. Tricolore. Pour le blanc, le rouge et le blues. Un soir, dans le studio d'à côté, Jean-Charles Aschero, un autre grand animateur de nuit, fêtait sa dernière. Tintements de verres, fumées diverses, guitares, chansons, brouhaha. On a demandé à Claude une tirade. Une improvisation de circonstance. Nougaresque à l'excès dans le débit scandé, Claude s'est fendu d'une dizaine de vers d'extrême qualité. Applaudissements nourris. Tout le monde était en extase. Jean-Charles n'en finissait pas de couvrir Claude d'éloges. Lui, buvait l'hommage presque aussi goulûment que le verre qu'il tenait à la main. L'animateur conclut ses louanges en affirmant, presque les larmes aux yeux, qu'il avait rarement entendu quelque chose d'aussi beau. Quel talent créatif ce Nougaro ! C'est là qu'en accentuant encore plus le tempo haché et l'accent chantant de ses mots, Claude a lâché :

– *Oui, c'est beau ! Mais ce n'est pas de moi, c'est de Baudelaire !*

Claude ne prenait aucune précaution oratoire de bon aloi. Il appelait un chat un chat et un coq une pendule. C'était l'époque où on n'était pas obligé de sélectionner ses mots par crainte d'une retombée médiatique atomique. Il disait :

— *J'aime les négresses au dos luisant comme un boa !*

Tu imagines aujourd'hui l'infamie ? Le buzz. Comparer une femme à un serpent. Et bien plus que noire, « négresse » ! Du pain béni pour les associations antisexisme et racisme réunis. Sans compter les aficionados de la protection animale capables de lui intenter un procès pour encouragement à la zoophilie. Mais stop ! Je me suis égaré dans la jungle bien-pensante. On revient au maquis des résistants de bistrot. Une nuit de délire royal.

Il y avait Claude, Foulquier et d'autres égarés. Aux rives du comptoir, Claude était accoudé... de la tête. Déjà pas très grand, et plié par une cuite géante, son crâne flirtait dangereusement avec l'encoignure en zinc. Un peu plus loin, un gros rugbyman hilare se régalait de l'instabilité du poète embrumé par le rhum maison. Claude s'est fâché. Il était hors de question que ce rustre se moque de lui. Il a commencé à insulter le costaud. Celui-ci, impressionnant de masse musculaire, mais bon nounours, répondit avec des mots gentils :

— *Ne vous énervez pas, monsieur Nougaro. Je vous adore !*

Mais Claude prévint que la punition était imminente. Il allait casser la gueule à l'impoli. On essaya, bien sûr, de l'en dissuader. Le combat était bien trop déséquilibré. Rien n'y fit. C'était une question d'honneur. Claude prit un élan de trois mètres et fonça tête basse. Olé ! Le rugbyman n'eut qu'un léger écart à faire et le petit taureau alla s'écraser avec fracas sur un tabouret deux mètres plus loin. Jean-Louis releva Claude en lui disant :

— *T'as été ridicule !*

La repartie fut merveilleuse. De mauvaise foi, d'abord. Et aussi d'inspiration poétique. Puisque ça rimait, et que, de plus, les deux phrases bout à bout formaient un alexandrin.

— *Jean-Louis, tu affabules !*

LA MARIÉE ÉTAIT EN BLANC

(*La mariée était en noir.*
François Truffaut. 1968)

« Le mariage n'est pas une loterie. À la loterie, il y a des gagnants. » C'est de George Bernard Shaw. « Il y a deux sortes de mariages, le blanc et le multicolore. Ce dernier est appelé ainsi parce que chacun des deux conjoints en voit de toutes les couleurs ». Georges Courteline. Et bien sûr, l'inévitable Sacha Guitry : « Le mariage, c'est comme le restaurant. À peine servi, on regarde ce qu'il y a dans l'assiette du voisin ». Trois citations officiellement répertoriées parmi des centaines qu'a inspiré le sujet. J'en ajouterai une qui n'est classée nulle part puisque c'est Eddy Barclay qui me l'a susurrée à l'oreille au lendemain d'une de ses multiples unions :

— *Avant de se marier, on devrait demander le devis du divorce !*

Et il s'y connaissait, le bougre ! Huit mariages. Moi, je me suis arrêté à quatre. Pourtant, je n'ai jamais fait les choses à moitié. Quatre promesses d'éternité. Quatre passages devant monsieur le maire. Quatre lunes de miel, dont trois dans le caniveau. Et bien entendu, une foule de phrases inoubliables. Les snipers de fond ne remercieront jamais assez l'Église d'avoir inventé les sacrements. Avec l'enterrement, le mariage est une des mines d'or les plus prolifiques pour les spécialistes de la réplique de concours.

Avant de développer, je voudrais juste faire une parenthèse en hommage à mon maître dans un domaine que j'affectionne particulièrement : les mots croisés. Il s'appelait Michel Laclos. Tous les cruciverbistes passionnés comme moi lui vouent une reconnaissance éternelle. Ce minichapitre me donne l'occasion de t'offrir une de ses définitions fétiches. En quatre lettres : « *pigeon bagué* ». Et la réponse est : « *mari* ».

Cette définition est révélatrice d'une certaine défiance qui a toujours entouré le mariage. Un sexisme de tradition gauloise qui assimile la plupart du temps ce beau sacrement à un esclavage pour l'homme. Les blagues machistes pullulent dans lesquelles, une fois épousée, la femme devient une marâtre épouvantable. Au mieux castratrice, au pire uniquement intéressée par la fortune de son conjoint. La plus significative de ces blagues lourdingues est cette sentence qui, une fois de plus, serait susceptible de provoquer une poussée d'urticaire à notre très chère et désormais récurrente Schiappa. Mais, bon, c'est une blague, juste une blague. À deux lectures. Une sexiste, évidemment, pour agacer Marlène. Et une autre bien plus généreuse en hommage aux qualités du meilleur ami de l'homme. Pour combler Brigitte. Pas Macron, Bardot !

— *Tu veux connaître le meilleur ami de l'homme ? Enferme ta femme et ton chien dans le coffre de ta voiture pendant deux jours. Quand tu vas les libérer, c'est ton chien qui te fera la fête !*

Une variante sur le mariage plus sociologique à présent. Elle m'a été offerte par un ami infidèle. Un quinquagénaire qui envisageait de quitter une épouse du même âge que lui pour un joli tendron de vingt-cinq ans. Un classique. J'essayais de l'en décourager en lui démontrant que dans « démon de midi », il y a « midi », mais il y a surtout « démon ». Et que neuf fois sur dix, dans ce genre de retour de sève, l'enfer est promis au déserteur. Je dois avouer que son argumentaire pour justifier son infidélité avait le mérite d'être original :

— *C'est l'époque qui veut ça. Quand ils ont inventé le mariage, l'espérance de vie d'un homme était de cinquante ans. Aujourd'hui, elle est de quatre-vingts et on nique jusqu'à soixante-quinze. C'est trop long !*

Il est bien évident que je t'ai rapporté tout cela, non pas pour le cautionner, mais pour le dénoncer. En aucun cas je ne pourrais approuver un tel raisonnement ! Tu penses bien ! Ne serait-ce que par respect pour mon épouse qui en ce moment est en train de lire ce que j'écris par-dessus mon épaule… Mais revenons à la cérémonie elle-même. En commençant par une repartie de mon inévitable Olivier. Cet après-midi-là, il était agacé par le passage tonitruant d'une noce de campagne dans un petit coin du Gers qui sentait bon la douceur de vivre en été. On déjeunait dans une auberge en bord de route. Juste le cliquetis des couverts, le piaillement des oiseaux, et le bruissement d'une fontaine. Le cortège nuptial a dévalé la pente voisine dans un concert de klaxons infernal. Olivier a bondi et a hurlé au passage des mariés :

– *Quand tu seras cocu, tu klaxonneras moins fort !*

Une vérité couverte par le bruit, heureusement. Ça nous a évité le lynchage. Plus discrètes, les deux réflexions, presque coup sur coup, d'un ami boucher à un des derniers mariages auquel j'ai assisté. La première, à l'énoncé par le prêtre des devoirs des époux leur imposant la fidélité :

– *De quoi j'me mêle, il sait pas ce que c'est ! C'est comme si un végan vantait la qualité de mes rosbifs !*

La deuxième, beaucoup plus inconvenante, est tombée juste après que le prêtre eut dit aux nouveaux mariés :

– *Soyez heureux et faites-nous de beaux enfants !*

Commentaire immédiat :

– *Ils peuvent pas s'empêcher de faire leur marché ! Tu crois qu'il va mettre une option sur le premier-né ?*

La dernière phrase inoubliable de ce minichapitre, je la tiens d'un humoriste ami très connu. Là encore, je tairai son nom. Pour éviter tout conflit familial. Nous étions attablés à « Ma ferme », le restaurant de Fred, mon pote de Sérignan. Le week-end précédent, notre grand comique national avait marié sa fille. Une jeunette hyper brillante, chargée de communication dans une entreprise haut de gamme. Un mariage magnifique sur un yacht de location amarré au large de Saint-Tropez.

Que du bonheur ! Ou presque. Parce que le matin des noces, il avait eu une dernière conversation privée avec sa fille chérie. Il s'était étonné qu'elle n'ait invité aucun de ses patrons au sujet desquels elle ne tarissait pas d'éloges sur les liens privilégiés qu'ils entretenaient avec elle. Surtout une reconnaissance professionnelle majeure pour la qualité de son travail. C'est là qu'elle lui a avoué, à sa grande surprise, que dans le pool d'affaires où elle travaillait, il ne valait mieux pas qu'on sache qu'elle était la fille d'un comique. Si reconnu soit-il.

— *Tu comprends, papa, dans ce milieu-là, « comique », ça ne passerait pas !*

Et elle l'avait serré dans ses bras, en lui confirmant qu'elle l'aimait quand même plus que tout. Ce dont il ne doutait pas. Mais, cette omerta, plus maladroite que méchante, lui restait en travers de la gorge. Il argumentait avec des propos affectifs, bien sûr : comment pouvait-on avoir honte de son père pour de telles convenances professionnelles ? Et puis, il en était revenu au matériel. Avec des sentences un peu plus crues. Ça faisait quand même vingt piges que la gamine bouffait grâce au « comique ». Et les études pour accéder à ce milieu si méprisant pour lui, c'étaient ses pantomimes et ses sketches populaires qui les avaient payés. Et bien entendu, le mariage avec.

— *Ça m'a coûté une blinde, rien qu'en bouffe de luxe ! Un mariage royal ! Les cachets de six mois de boulot !*

La réflexion de Fred à notre ami a fusé. Magnifique.

— *T'as eu du bol d'être invité !*

SACHA, CHARLES, YVES ET LES AUTRES

(*Vincent, François, Paul et les autres.* Claude Sautet. 1974)

Ce minichapitre sera un peu particulier. Parce que je n'ai été ni témoin ni acteur de la majorité des reparties qui vont suivre. Et comme je le regrette. À part deux, elles m'ont toutes été rapportées. Mais elles avaient leur place ici tant elles sont « haut de gamme ». Et, de plus, elles sont sorties de la bouche de célébrités tout autant « haut de gamme ». Des monstres sacrés. : Sacha Guitry, Yves Montand et Charles Aznavour. Je le regrette d'autant plus que j'aurais pu entendre ces répliques directement de la bouche de deux de leurs auteurs. Montand, que j'ai croisé quelquefois, et Aznavour, bien plus souvent.

Quant à Guitry, hélas ! Je n'avais que quatre ans à la mort du maître. Cette mort qui avait donné lieu, par avance, à un beau ping-pong de mots d'esprit avec une de ses compagnes quelque peu volage, voire insatiable : Yvonne Printemps. Leur union était on ne peut plus chaotique. Surdoués en phrases blessantes, ni l'un ni l'autre ne se privaient de décocher des flèches acérées. Celles qui vont suivre sont connues des amateurs de bons mots, mais je ne peux pas résister au plaisir de te les citer. Ce jour-là, les amants terribles étaient en visite dans un cimetière et Yvonne a imaginé une épitaphe acide pour son amant :

« *Enfin raide !* »

Ce à quoi Sacha a répondu avec, à son tour, une projection d'épitaphe pour sa belle qui avait un tempérament plus qu'ardent :

« *Enfin froide !* »

Quel beau duel pré-*mortem* !

Dieu que j'aurais aimé rencontrer le grand homme ! Être convié en son logis. Attendre patiemment dans l'antichambre qu'il daigne me recevoir. En robe de chambre, évidemment, et le porte-cigarettes aux lèvres. Et, bien entendu, détourner à mon compte cette repartie magistrale attribuée (sous réserve) à Louis Jouvet en visite chez Jean-Paul Sartre quand le valet lui avait demandé :

— *Vous venez pour le maître ?*

Réponse inoubliable :

— *Non. Juste pour le voir !*

Je partage avec mon excellent ami Olivier Lejeune une réelle passion pour Guitry. Olivier a joué ses pièces des centaines de fois. Et il connaît son Sacha intime sur le bout des doigts. C'est lui qui m'a livré la repartie inoubliable qui va suivre. Ce n'est ni une citation ni une réplique de théâtre. C'est un tac au tac de la vraie vie que certains connaissent peut-être. Mais cette repartie est tellement magistrale que je voulais absolument en faire profiter ceux qui ne la connaîtraient pas.

La scène s'est déroulée au cours d'une soirée mondaine. Sacha était en tenue de circonstance. Costume noir, chemise blanche et nœud papillon. C'est vrai qu'il n'y avait pas une grande différence entre cette tenue et celle des serveurs qui passaient les verres. Ce qui a donné l'occasion à deux étudiants espiègles de se moquer gentiment de lui. La perspective d'ébranler l'ego qu'on disait surdimensionné de « môssieur » Sacha Guitry a inspiré aux deux farceurs l'idée de faire croire qu'ils prenaient le maître pour un larbin. Ils se sont approchés de lui, et le plus hardi a demandé :

— *Pardon, monsieur le serveur, vous pouvez nous dire où sont les toilettes ?*

Le maître a pris un temps. Celui de ravaler son orgueil et de le transformer en génie. Et il a répondu :

— *Vous prenez à droite, puis l'escalier, et arrivés en bas vous verrez une porte sur laquelle il y a écrit « gentlemen »... Vous entrez quand même !*

Les trois phrases inédites qui vont suivre sont de Charles Aznavour. Il m'a dit les deux premières dans ma loge, juste après le tournage d'une séquence de l'émission *De l'autre côté du miroir*. Encore un face-à-face inoubliable, où j'avoue que, grimé en lui, j'ai eu le trac le plus fou de toute cette expérience surréaliste. Ces deux phrases ne sont pas des reparties de choc. Plutôt des conseils essentiels que j'invite tout chanteur débutant à bien enregistrer.

La première :

— *C'est le public qui décide. C'est pour ça qu'il ne faut pas chanter notre vie, il faut chanter la sienne !*

La deuxième :

— *Le talent, c'est vingt heures de travail par jour !*

La dernière phrase inoubliable de Charles que j'ai voulu t'offrir, ce n'est pas à moi qu'il l'a dite. Elle m'a été rapportée par mon ami Chico, le leader des Gipsy Kings. Outre la relation professionnelle, Charles Aznavour avait une réelle amitié pour lui. Ils étaient voisins dans la région d'Arles, et ils partageaient souvent des fêtes. Ce soir-là, Charles avait joint sa voix au tempo des guitares. Une exception qui avait abasourdi tous ceux qui le connaissaient bien. Parce que, c'était une règle immuable : Charles ne chantait jamais en dehors de ce que lui imposait son métier.

Après l'avoir remercié d'avoir fait cette entorse à son intransigeance, Chico lui a demandé pourquoi il refusait toujours d'exprimer son talent hors des scènes et des plateaux de télé. La réponse est pleine d'un bon sens indiscutable. Au-delà d'être claire, on peut imaginer que cette réponse assure aux héritiers de la légende arménienne un avenir sans soucis.

Charles a lâché, avec un sourire malin :

— *Il n'y a que les oiseaux qui chantent gratuit !*

On va conclure ce chapitre sur une note un peu plus osée. Mais quel bonheur ! Je tiens la réplique de concours de l'humoriste Smaïn. Il dînait avec Yves Montand à l'occasion de la préparation d'un film. Et le jeune comique qu'il était, qui plus est chanteur et danseur aussi, était diablement impressionné. Qui ne l'aurait pas été ? Montand la légende. L'acteur, le chanteur, l'homme engagé. Et, bien sûr, le séducteur. Smaïn m'a avoué avoir passé tout le repas comme sur un nuage. Ce nuage qui, vers la fin du dîner, s'est écarté pour faire place à un immense rayon de soleil. Ils avaient glissé sur le terrain de l'intimité et Yves se laissait aller à quelques confidences amoureuses. Plus que fier de cette confiance, Smaïn, au zénith de son admiration, a osé avouer sa jubilation d'être en face de ce monstre sacré.

Il a fixé la bouche d'Yves et a dit dans un souffle admiratif et sincère :

— *Je suis bouleversé. Quand je pense que la bouche de Marylin Monroe a embrassé ces lèvres !*

L'œil de Montand s'est allumé. Son visage s'est éclairé de ce sourire irrésistible que tu connais si bien, et il a lancé :

– *Alors, je te conseille de ne pas regarder sous la table !*

LE DERNIER RÉTRO

(*Le Dernier Métro*.
François Truffaut. 1980)

Le dernier regard en arrière. L'ultime rétroviseur au moment de partir. Il paraît que juste avant de mourir on voit défiler sa vie. À la mort de Maman, étrangement, dans ses yeux, c'est la mienne que j'ai vu défiler. Mes rires avec elle, mon combat contre les malveillants. Ma fierté de lui offrir le nom de son petit bâtard en grosses lettres rouges au fronton de l'Olympia. Un beau film en technicolor. Mais avant de revenir aux derniers instants de Maman, un détour par d'autres phrases ultimes. Des derniers mots d'amis murmurés, parfois presque inaudibles, à quelques encablures du dernier port.

La première phrase est celle d'un de ces bandits d'honneur que j'aime tant. Un cancer des os était sur le point de l'emporter. On évoquait ses dernières années de prison pour un braquage qui avait mal tourné. Au bout, une peine exemplaire. Le fait qu'il ne veuille pas dénoncer son complice lui avait valu le maximum. Et pourtant on lui avait promis une certaine clémence s'il balançait. D'autant plus que, sans entrer dans les détails, le complice en question n'avait pas été très réglo avec lui. C'est là où le fameux « honneur » dont je t'ai longuement parlé prend tout son sens. Pour ces gens-là, c'est une règle entre soi et soi. Les mots de mon ami en sont la plus belle démonstration :

— *Sûr que si je l'avais donné, j'aurais fait deux piges de moins. Mais j'aurais eu des problèmes avec mon miroir. Je pouvais lui faire ça à lui, mais je ne pouvais pas me le faire à moi !*

La phrase suivante est un petit chef-d'œuvre d'humour sur soi-même. L'homme qui me l'a dite sur son lit de maladie était dans mes jeunes années un jumeau de cavalcade. Nous avions usé ensemble nos plus belles années à courir les filles. Il avait un palmarès bien plus impressionnant que le mien. Avec un « drame » dans les dernières années. Une baisse de vigueur qui selon son aveu avait fait de lui un amant pitoyable. Ce qu'il acceptait malgré les encouragements de certains à utiliser du Cialis ou du Viagra pour redevenir ce qu'il avait brillamment été.

Le problème, c'est qu'en aucun cas il ne voulait pallier sa faiblesse par quelque chimie que ce soit. C'était pour lui une question de règle sanitaire. Même quand il était grippé ou malade de toute autre chose, je ne lui avais jamais vu prendre le moindre cachet ni accepter la moindre piqûre. Il se soignait uniquement par des plantes. Dans son cas, aucune n'avait pu servir de béquille suffisante à sa libido qui petit à petit s'était presque éteinte. C'est bien connu : moins on fait, moins on a envie de faire. Il n'était plus performant ? Eh bien tant pis ! Il y a donc eu cette ultime phrase qu'il m'a offerte en souriant, à quelques heures de passer la rampe :

— *C'est dommage ! J'aurais adoré mourir en faisant l'amour. Mais malheureusement, le ridicule ne tue pas !*

Comme promis, on en revient à Maman. Pour chacun des départs des êtres qu'on a le plus aimés, les dernières phrases sont souvent les plus inoubliables. J'en ai retenu deux d'elle, quelques jours avant son envol. Quand elle avait encore la force de tenir une conversation. On refaisait toute l'histoire. Ma naissance. Ce père fuyard dont j'essayais de lui arracher la certitude que c'était bien celui qu'elle m'avait toujours désigné. Elle s'était énervée que je puisse mettre sa parole en doute. Alors, on en était revenus aux faits. Juste aux faits. À cette nuit de plaisir de campagne dans le jardin du curé de Juillac, dans la Corrèze profonde. À la va-vite. Sans vraie tendresse. Un coït d'occasion de février 1953 pour une bâtardise de novembre de la même année.

Quand j'ai demandé à Maman si elle aimait vraiment cet homme qui m'avait fait, le « oui » n'a pas été franchement enthousiaste. C'était comme ça. C'était la province des années cinquante. Une jolie fille qui s'allonge presque par tradition. Au hasard des champs de blé, des granges, des fossés. Elle m'a avoué n'avoir presque aucun regret. Si, quand même, un seul. La phrase qu'elle m'a lâchée alors pourra te paraître anodine. Pour elle, c'était plus qu'un détail. Je t'avoue qu'une petite larme m'est montée au coin de l'œil quand son regard mi-gai, mi-triste s'est tourné vers moi, et qu'elle a murmuré :

— *J'aurais tellement aimé faire l'amour dans un lit !*

La dernière phrase qu'elle me dira résonnera en moi bien au-delà de ce 22 novembre 2008 où elle s'est envolée pour se poser depuis sur mon épaule. Cette phrase, je la sème à tout vent, comme la bonne parole d'un apôtre. Chaque fois qu'un ami se noie, qu'il coule à cause d'un deuil brutal, ou plus simplement d'une rupture professionnelle ou amoureuse, je la lui balance en bouée de sauvetage. D'ailleurs, il n'est pas un jour où je ne me la répète pas depuis mon éviction sauvage de la télé. Cette phrase, Maman me l'avait déjà dite à l'occasion de la mort du petit. Quand je doutais de pouvoir vraiment me relever. Et qui sait si cette phrase, que je n'avais prise à l'époque que pour mon seul avenir, n'engageait pas aussi le sien ? Un espoir pour moi sur terre et une aspiration post mortem pour elle. Elle s'est forcée à un dernier sourire, et elle a murmuré :

— *Ce n'est jamais la fin de quelque chose, mon petit, c'est toujours le début d'autre chose !*

Quand je repense aux derniers jours de Maman, me revient inévitablement une autre phrase inoubliable. Infecte, celle-là. Pour ne pas dire dégueulasse. Tu comprendras que je ne t'en nommerai pas l'auteur. Il est décédé récemment, et même si sa phrase fut ignoble, je ne veux pas salir sa mémoire. J'ai le respect des morts, moi. J'écris cela parce que cet homme en avait apparemment bien peu, lui.

C'était un chanteur que j'avais reçu dans l'émission que j'animais à cette époque sur RTL. Il m'avait laissé son nouveau CD en me demandant de l'écouter pour le faire passer dans *Les Années bonheur*. Il m'avait relancé plusieurs fois. Un après-midi, mon téléphone a sonné. C'était encore lui. Insistant. Il m'a demandé encore une fois si j'avais satisfait à sa demande. Mon esprit était ailleurs. Je lui ai expliqué pourquoi :

– *Écoute, ma mère est en train de mourir, c'est une question d'heures.*

La suite m'a laissé sans voix. Il a haussé le ton :

– *D'accord, mais tu m'avais promis d'écouter mon CD. C'est quand même plus important !*

Impardonnable. Mais paix à son âme quand même !

La dernière phrase inoubliable de ce minichapitre consacré à nos dernières heures, je la tiens de Victor Lanoux. Elle concerne Sim, son ami. Le mien aussi. J'adorais ce petit bonhomme qui assumait sans état d'âme son statut de clown. Celui qu'Audiard avait si bien défini en disant qu'il était « le croisement d'un étourneau et d'une pointe Bic ». J'ai connu beaucoup de simples comiques qui avaient un mal fou à s'accepter comme tels. Sim n'avait jamais ce sursaut d'ego. Il savait que le rire qu'il déclenchait était basique, facile. Un comique grimacier si décrié par les juges hautains. Mais au bout du compte, c'est quoi un comique ? Quelqu'un qui fait rire. C'est aussi bête que ça. Alors, noble, intelligent, primaire, au premier, au deuxième ou au troisième degré, le rire est un réflexe. Et pour moi, le seul déclenchement des zygomatiques suffit à en reconnaître la qualité.

Sim était dans un hôpital, en phase terminale. Victor Lanoux m'a raconté son cœur serré quand il est entré dans la chambre où son ami était couvert de tuyaux. Amaigri. C'est te dire s'il restait peu de lui. Méconnaissable. Quand il a aperçu Victor, Sim a lentement retiré le masque respiratoire qui le tenait encore en vie. Et dans un souffle épuisé, il a lâché à son ami, le plus naturellement du monde :

— *Qu'est-ce qu'il faut pas faire pour faire rire !*

A STAR IS ALMOST BORN (UNE ÉTOILE EST PRESQUE NÉE)

(*A Star is Born.* Bradley Cooper. 2018)

L'Olympia. La Mecque des artistes de mon époque. Le vrai Olympia. Celui qui se méritait. Pas celui d'aujourd'hui qu'on a reconstruit presque à l'identique. Cet Olympia nouveau où il suffit d'un bon paquet d'argent pour le louer et inscrire son nom en lettres rouges au fronton. Un ersatz encore prestigieux quand même. Mais sans l'essentiel : la mémoire des murs.

J'ai eu la chance de connaître le « vrai » Olympia à de nombreuses reprises. De grimper les marches une à une. En ouverture de spectacle, puis en fin de première partie, et enfin en « vedette », comme on disait. Avec le cadeau suprême : s'asseoir dans la loge principale. Elle était petite, un peu miteuse. Un vieux tissu au mur. Un miroir usé. Mais quelle émotion ! Les fantômes de Piaf, de Sinatra, des Beatles, tournaient tout autour. Je me souviens de la première fois, seul avec Maman. Patrick Sébastien, l'imitateur, en grosses lettres rouges sur la façade, et Patrick Boutot, le petit bâtard de Juillac assis sur la chaise sur laquelle Brel avait laissé ses dernières sueurs d'artiste. Elle est pas belle, la vie !

J'ai mille souvenirs de mes Olympia à guichets fermés dans les années quatre-vingt. Les *standing ovations*. Les soirs de premières prestigieuses. Ventura, Morgan, Bécaud, Salvador, Coluche, Carné, de Funès, en spectateurs enthousiastes de mes imitations. Des ministres, des présidents. Un rêve éveillé. Et bien sûr, la farce. La réplique basique et triviale qui relativise tout. Mon bon Olivier, évidemment, toujours aux aguets. Un soir de 1984, j'avais fait un triomphe avec mon imitation de Simone Signoret. Copie conforme de la vieille dame, foulard sur la tête, lunettes noires et cigarette à la main. Dans la salle, un bon nombre de spectateurs en avaient la larme à l'œil. J'ai dit à Olivier :

— *Tu te rends compte ! Si Montand voyait ça, tu crois qu'il dirait quoi ?*

L'œil a frisé et la repartie a fusé :

— *Il dirait : « J'ai baisé ça, moi ? »*

L'art de ramener le triomphe à des proportions honnêtes. C'était aussi ça, nos Olympia. Sur scène, la consécration. La reconnaissance du Tout-Paris et, en coulisse, de la vanne de bistrot permanente pour dézinguer le piédestal. Les conneries de base du « Tout-Province ». Comme avant la gloriole. Histoire de ne pas se prendre pour ce qu'on n'était pas. Et bien souvent, des *afters* au petit bar de Marylin copieusement arrosés. C'est à la suite d'un de ceux-là que j'aurais droit à une des plus belles phrases inoubliables liées à mes passages dans le music-hall mythique.

C'était un soir de Noël. En première partie, j'avais un chanteur aussi fou que moi qui s'appelait Alain Brice. Il était minuit et notre réveillon s'était réduit à l'ingestion massive d'alcool fort au bar de Marylin. C'est là que, torse nu l'un et l'autre, on a décidé d'aller souhaiter, champagne à la main, un joyeux Noël aux passants qui arpentaient la rue Caumartin voisine. On arrêtait même les voitures pour offrir une petite coupe aux automobilistes ravis. Enfin, pas tous ravis. Une voiture, en particulier, a fait une embardée agressive. Apparemment l'offrande n'était pas du goût des passagers. Ils étaient quatre. Jeunes et très excités. Au moment où Alain et moi les traitions de tous les noms en leur faisant des doigts d'honneur, ils ont pilé en pleine rue. Et ils ont jailli de la voiture avec des battes de base-ball à la main et se sont précipités vers nous.

À jeun, on aurait battu en retraite. Mais là, avec la témérité stupide que donne l'alcool à haute dose, on a voulu jouer les héros. On a avancé vers eux, style western. Il ne manquait plus que la musique de Morricone. Normalement on aurait dû se faire massacrer. Mais le dieu des fêtards veillait sur moi. Le plus virulent de nos agresseurs a armé son geste pour me frapper et il s'est arrêté net, le regard soucieux. Il a demandé :

— *T'es Patrick Sébastien ?*

Et sans attendre la réponse, il a baissé sa batte de baseball en lançant avec un grand sourire :

– *On peut pas te casser la gueule ! On a réservé pour aller te voir demain en matinée !*

C'est pas inoubliable ça ? Un sauvetage *in extremis*. Un miracle. D'ailleurs, à cette époque, tout était miraculeux. Parce qu'en refaisant l'histoire en repartant du tout début, à Juillac, combien de chances avais-je de vivre ça ? Comme quoi, tout peut arriver. Qui peut prédire ? Sûrement pas ce producteur célébrissime qui est entré dans ma loge un soir de première en 1984. Il ne tarissait pas d'éloges sur moi. Par contre, en professionnel averti, il émettait de grosses réserves sur la jeune chanteuse qui assurait le lever de rideau.

– *Elle n'est pas très jolie. D'accord, elle chante assez bien. Mais je ne la vois pas aller bien loin. Et crois-moi, je ne me trompe jamais !*

Bien vu ! Et inoubliable. La jeune chanteuse s'appelait Céline Dion !

Pour terminer, une grosse pensée pour quelqu'un qui, paradoxalement, n'a jamais fait l'Olympia. Et pourtant, il y avait de l'artiste en lui. C'était le présentateur de journal télé le plus populaire des années quatre-vingt. Un ami précieux : Yves Mourousi. Et encore un déglingué. Un seigneur de la nuit. Inverti, provocateur, utilisateur à haute dose de substances interdites, bousculeur de convenances, fêtard jusqu'aux aurores. Tu imagines la distance avec les propres sur eux d'aujourd'hui. J'aime beaucoup Laurent Delahousse, mais entre son faux décoiffé et le vrai déjanté de Mourousi, il y a un océan.

Le rapport avec l'Olympia ? C'est une soirée de première d'une chanteuse célèbre où le hasard du placement nous avait mis côte à côte dans la salle. Et heureusement ! Parce que la fameuse chanteuse nous avait gratifiés ce soir-là d'un tour de chant d'un ennui abyssal. Quelques tubes rares au milieu des chansons d'un nouvel album qui se voulait plus ésotérique. Au bout de dix minutes, j'ai eu droit dans le creux de l'oreille à un festival de réflexions d'Yves toutes plus dévastatrices les unes que les autres. Il m'a fallu beaucoup de self-control pour réprimer quatre ou cinq fous rires. Au baisser de rideau, nous n'avons pas pu nous empêcher de pousser un « ouf ! » de soulagement. Tellement heureux que ça se termine.

La tradition d'une première devant le Tout-Paris, c'est le défilé d'après dans la loge de l'artiste des célébrités invitées. Et là, il faut trouver « la phrase » de félicitation. En l'occurrence, le défi s'annonçait ardu. C'est là que mon « Moumou » chéri a fait preuve de capacités d'adaptation hors normes. D'abord en me disant, avant d'entrer dans la loge :

— *Il faut être sincère et diplomate, et tu vas voir que c'est pas incompatible. Ce qui compte, c'est la façon de le dire !*

La star nous a accueillis avec un grand sourire. Yves l'a serrée chaudement dans ses bras. Et il l'a regardée dans les yeux. Et il a balancé, enthousiaste à l'extrême, ces mots tout à fait sincères, que je te conseille de noter au cas où tu te retrouves dans la même situation :

— *Je ne te croyais pas capable de ça !*

Elle l'a remercié de ce qu'elle avait pris pour un magnifique compliment. Et il a enchaîné immédiatement le « coup de grâce ». Le même genre de faux compliment que la star a pris, évidemment, pour un émerveillement insoupçonnable pour la dernière chanson qu'elle avait interprétée :

— *Tu sais ce que j'ai préféré dans le spectacle ?... La fin.*

SANS CŒUR ET AVEC REPROCHE ?

(*Sans peur et sans reproche.*
Gérard Jugnot. 1988)

Si tu es un fidèle de mes livres, tu peux sauter ce minichapitre-là. J'ai déjà raconté dans le dernier, *Si on était bienveillant*, beaucoup de ce qui va suivre. Mais c'est tellement inoubliable que ça avait vraiment sa place ici. Encore pour l'alternance. Pour passer de la plaisanterie égrillarde la plus légère à la gravité la plus écœurante. Parce que cela concerne des comportements, pour moi, à vomir. Mais tu jugeras toi-même.

Je t'ai déjà expliqué la compassion réelle que j'ai pour les enfants victimes du mauvais sort. Sans doute y a-t-il un lien, dans mon inconscient, avec la perte du mien. Tout ce qui touche à la souffrance d'un môme me bouleverse bien plus que toute autre douleur d'adulte. C'est pour cela que je me suis toujours fait un devoir de leur apporter du rêve. Du bonheur en placebo. C'est une des facettes les plus rassurantes de mon métier de saltimbanque. La certitude d'être vraiment utile au-delà du divertissement pur.

J'en ai le témoignage après chaque spectacle. Le plus récent est celui d'une femme accompagnée de son môme qui me mangeait des yeux. Il m'a serré dans ses bras à ne plus vouloir me lâcher. La mère m'a expliqué que le père les avait laissés tomber et que, pour son gamin, j'étais comme un père de substitution chaque fois qu'il me voyait à la télé. Il n'avait jamais raté un *Plus Grand Cabaret du monde*. C'est le seul moment où il retrouvait un sourire éclatant. Il m'appelait « Papa magie ». Et comme, elle aussi, pratiquait l'humour de sauvegarde que tu connais bien, elle a ajouté :

– Remarque, son père est aussi un magicien dans son genre. Ça fait cinq ans qu'il s'est fait disparaître !

Et puis, dans cette catégorie de témoignages réconfortants, il y a aussi Yohan, un garçon de trente ans, qui dans ma loge, après m'avoir dit tout le bien qu'il pensait de moi, a baissé son pantalon. Et là, tu te dis qu'on va une fois de plus glisser dans le trivial. Absolument pas. Yohan voulait juste me montrer le tatouage qu'il avait sur la cuisse. Un large portrait de moi d'une fidélité parfaite. Ma première réaction a été de me dire que, pour avoir eu une idée pareille, le garçon ne devait peut-être pas tourner bien rond. Je l'ai remercié quand même pour cette façon inattendue de me prouver son admiration. Mais en quelques mots, il a transformé mon étonnement amusé en véritable émotion. Il m'a dit :

– Mon beau-frère s'est tué dans un accident. Il a laissé deux gosses. La seule chose qui les rend vraiment heureux,

c'est tes chansons. Alors le tatouage, c'est pas pour dire « bravo », c'est pour dire « merci » !

Pour résumer, il y a tous ces petits malades en souffrance chez lesquels je lis l'infinie reconnaissance d'avoir allégé une part de leur fardeau. Cela suffit à me faire oublier les mille insultes que le léger de mes chansons festives ou de mes émissions ont fait pleuvoir sur moi. Mes tentations de « sérieux » ont toujours été balayées par le regard de ces mômes. C'est vrai que, parfois, elle est pénible à porter cette image de festif inconséquent pour noces et banquets. Alors, je gamberge. Je me dis qu'il est peut-être temps de ranger les cotillons. De mettre un coup de neuf à mon ego en balançant du grave, de l'élaboré de haute tenue. Et puis, je croise les yeux d'un môme à la dérive dont je sais que je suis la bouée de sauvetage. Alors, je reste clown futile. Avec en mémoire, une fois de plus, une sentence de mon vieux prof de philo alcoolique. Quand il m'expliquait que l'affectif devait garder en toute occasion sa prééminence sur le raisonnable de convenance, à travers ces mots :

— *La bonne conscience d'un honnête homme ne doit jamais être ébranlée par le jugement d'un con !*

J'ai donc une sollicitude particulière pour les enfants malades. Et pas seulement de loin. En les aidant aussi à toucher leurs rêves au plus près. Ça a été le cas pendant des années avec *Le Plus Grand Cabaret du monde*. Et hélas ! un des dommages collatéraux de l'arrêt de l'émission. Parce que, désormais, je n'aurai plus la possibilité d'offrir à quelques gosses abîmés le bonheur d'assister à l'émission dans le public. Merci qui ? Merci Delphine !

Éric, un magicien à l'hôpital, m'a emmené pendant vingt ans à chaque émission des enfants atteints de maladies graves. Accompagnés de leurs parents, ils venaient passer quelques heures loin des odeurs d'éther. De temps en temps, pendant le tournage, je jetais un coup d'œil vers eux. Le regard émerveillé, ils étaient au paradis. Un avant-goût du vrai qui était imminent pour beaucoup d'entre eux, hélas ! Certains n'ont vécu que quelques mois par la suite. C'est te dire si ces moments étaient à la fois merveilleux et déchirants pour nous tous. Enfin, presque tous, tu verras plus loin.

Il m'est même arrivé de me servir d'eux comme étalon de relativité quand un « people » grincheux râlait que je ne lui avais pas assez souligné sa promo ou qu'il se plaignait que la climatisation était trop forte. Je lui conseillais alors de jeter un regard vers eux pour comprendre qu'il y avait des choses bien plus graves dans la vie. Chaque fois, ça calmait ses velléités. Sauf une fois où une star de cinéma au sourire figé par la chirurgie esthétique ne s'en est pas émue plus que ça. Ce qui m'a permis de l'affubler pour toujours d'un surnom que je me suis empressé de faire circuler dans tout le métier : « La Joconne ».

Après l'émission, il était de tradition que je rejoigne les petits malades dans une pièce en coulisses qui leur était réservée. Malgré la fatigue d'une journée d'enregistrement harassante, je passais un long moment avec eux.

Photos, autographes, bisous et bonne humeur obligatoire. La moindre des choses. Je demandais aussi aux « people » invités de faire un crochet avant de partir par la petite loge pour rencontrer les mômes.

Ça a souvent été un baromètre de leur sincérité. Étalonné à leur espoir de longévité professionnelle aussi. Selon le temps que chacun prenait pour poser ou parler avec eux, il n'était pas difficile de pronostiquer une carrière d'étoile filante à certains qui passaient en coup de vent. Ce qui, en vingt ans, s'avérera chaque fois parfaitement prémonitoire. Il n'y a pas de hasard, ça a toujours été les plus pérennes qui se sont attardés. Les vraies stars. Celles qui durent. Attentives. Bienveillantes. Certaines ont rajouté, sans qu'on les sollicite, des invitations pour leur spectacle.

Un seul de ces « people » haut de gamme m'a infiniment déçu. Un chanteur. Au point de tirer aux gamins qui le sollicitaient quelques larmes dont ils se seraient bien passés. Et je ne te parle pas de l'indignation des parents. Au moment où Éric a sollicité la « star » devant deux mômes qui avaient à la main le cahier où ils collectionnaient les autographes, celui-ci a lancé, agacé :

– *J'ai pas le temps, j'ai un taxi !*

Comme j'avais prévenu, je te laisse juge… Et il y a eu même pire. Une autre prétendue star. Encore un chanteur que je verrais quelques semaines plus tard étaler son grand cœur au Téléthon après avoir interprété sa dernière chanson en promo. Autant ne pas faire le voyage à vide !

Ce soir-là, à la sortie du studio du *Plus Grand Cabaret du monde*, après avoir ignoré la pièce où l'attendaient les mômes, il marchait d'un pas vif vers l'ascenseur. Éric l'a rattrapé, suivi d'un petit garçon qui ne voulait à aucun prix rater son idole. Il a sollicité un autographe et un selfie. « L'idole » a décliné la demande en prétextant, lui aussi, qu'il était très très pressé. Éric a insisté :

– *S'il vous plaît ! Deux secondes !*

Et là, « l'idole », avec un sourire narquois, a compté sur ses doigts :

– *Un… deux ! Voilà, ça fait deux secondes !*

Et il a disparu dans l'ascenseur… Inoubliable, non ?

LA FRIME

(*La Firme*. Sydney Pollack. 1993)

Enchaînement logique : les frimeurs. Être ou paraître, telle est la question ! Pour ceux-là, la réponse est claire : paraître. À n'importe quel prix. Forfanterie et surétalage. Et une surévaluation personnelle permanente. Ce qui avait fait dire à un ami financier, en voyant passer dans la rue un de ces orgueilleux ostentatoires :

— *Si tu veux faire du fric, celui-là, tu l'achètes au prix qu'il vaut et tu le revends au prix où il s'estime !*

Chez les frimeurs, pas de problème de parité. Le mâle hautain vaut la femelle dédaigneuse. La frime, pour les hommes, ça passe souvent par le biceps apparent et le vrombissement au feu rouge de la voiture en surrégime. Pour les femmes, la poitrine arrogante et les bijoux de marque qui scintillent. Et en marqueur commun, cette façon de déambuler, le regard supérieur. Perchés, pour eux, sur des ergots de coqs suffisants. Et pour elles, balancées par des démarches de poules faisanes méprisantes. De la volaille de basse-cour, quoi !

Et encore, ça c'est le très visible, l'éclat du show-biz. Mais nos provinces fourmillent de mille frimes ordinaires à l'origine de la plupart des jalousies locales. Des façades de maison ostentatoires, des tenues qui prétendent précéder la mode, des endroits où l'on n'a pas forcément envie d'être mais où il faut se montrer. Et, bien entendu, toutes les vantardises occasionnelles de réussite ou de fortune qui peuvent signifier aux interlocuteurs une supériorité acquise ou mentie.

C'était le sujet d'une conversation avec un ami maire d'une petite ville de province. Nous étions assis à une terrasse de bistrot en été, et il s'amusait à me détailler chaque administré qui passait. Il connaissait la réalité de chacun. Souvent bien éloignée de leur apparence publique. Les faux joyeux si tristes en privé. Les faux riches endettés jusqu'au cou. Il en souriait. Allant même jusqu'à en faire une fierté cynique, à travers une repartie municipale de concours tout à fait digne de figurer ici :

— *Je suis sûrement le maire de la ville où il y a le plus de BMW avec des pneus lisses !*

Dans mon milieu des médias et du show-biz, il faut bien reconnaître que la frime est partout. Représentation oblige. L'image conditionne tout. C'est te dire si les excès sont nombreux. Pour un œil averti, c'est plutôt risible. Comme pour ces « stars » qui mettent des lunettes de soleil pour qu'on les reconnaisse. Ou ces artistes qui surévaluent en permanence leurs ventes de CD, leur affluence dans les concerts, ou leurs audiences télé.

À l'image de cette vieille blague dans laquelle un chanteur parlait du nombre de disques qu'il avait écoulés. Lui qui d'habitude pouvait compter sur des milliers de ventes, cette fois-là n'en avait vendu que cinq. Tout juste cinq. Comme les doigts de la main. Un autre chanteur lui demande :

– *Alors, t'en as vendu combien ?*

– *Sept !*

Cette frime-là peut aussi accoucher de phrases bien plus profondes. Touchantes même lorsque l'intéressé reconnaît ses faux-semblants avec humour ou dérision. Ça a été le cas d'un ami, chanteur des années quatre-vingt dont la carrière était en sommeil depuis longtemps. Quelques spectacles vintage par-ci par-là. Il s'en amusait lui-même :

– *Je suis à bloc tout l'été. J'arrête pas ! Le 12 juin, je chante à Rodez, le 26 août à La Rochelle. Le reste du temps, je souffle un peu !*

Une autre phrase de lui m'a touché. Parce que va savoir si, au gré de nos avenirs incertains, il ne faudra pas que je la prononce un jour à mon tour. Malgré un compte en banque au plus bas et des dettes à profusion, mon ami continuait à rouler dans une voiture de luxe. Il paradait aussi dans les soirées tropéziennes. Une nuit d'alcool fort et de confidences, il s'est lâché sur son mal-être. Sur cette célébrité acquise qui le condamnait à exister encore sans exister vraiment. Quand je lui ai fait remarquer qu'il n'était peut-être pas obligé de vivre autant au-dessus de ses moyens, il m'a murmuré :

— *Avec le nom que j'ai, j'ai pas les moyens d'être pauvre !*

Pour poursuivre avec la frime étiquetée « show-biz », une anecdote dont j'avoue que la chute est une de mes répliques préférées. D'autant qu'elle ne provient pas d'un professionnel de la vanne de concours. Bien loin de là. Son auteur est un ami grand chef d'entreprise, président-directeur général d'une grande chaîne de supermarchés. Un commerçant de haut vol dont l'essentiel des préoccupations se limite à des parts de marché bien éloignées de celles de la télévision. Et pourtant, ce soir-là, il avait embauché justement une de ces stars fabriquées de toutes pièces par les parts de marché de la télévision. Un enfant de ces concours de chants qui font éclore à la chaîne depuis quelques années les plus populaires de nos chanteurs et chanteuses.

Ce qui ne veut surtout pas dire que ce soit une garantie de talent absolu. C'était le cas, ce jour d'arbre de Noël au profit des enfants des employés de l'entreprise de mon ami. Le chanteur, peu enclin à ce genre d'événement, avait demandé un cachet démesuré. Ce qu'avait accepté notre P-DG sur l'insistance d'un de ses enfants, fan de la « star ». Une « star » tout en frime au point d'avoir eu, en plus de la rémunération hors normes, des exigences redoutables de back stage. Ajoutes-y un ton méprisant pour les bénévoles en coulisses et un tour de chant très médiocre artistiquement, amputé d'une demi-heure sur la durée prévue. Par politesse, le P-DG est quand même allé le saluer dans la loge. Ils ont échangé quelques mots aimables et il lui a tendu le très gros chèque. Il était clair que la seule chose qui l'intéressait, c'était ça. Mais en parfait hypocrite, l'apprenti chanteur tout en frime a lancé :

— *Merci. Mais, vous savez, le plus important, c'est le bonheur d'être sur scène. Être une star, c'est plus fort que n'importe quoi. Je suis sûr qu'au lieu d'être commerçant, vous auriez préféré être artiste.*

La réponse a tenu en six petits mots. Magnifiques !

— *Je suis sûr que vous aussi !*

La dernière phrase inoubliable de ce minichapitre est sortie de la bouche de Pierre Palmade. Un bijou de finesse et de cynisme. Il faut dire que l'homme est particulièrement doué pour la réplique. Autant dans ses sketches que dans la vie. Cette vie chaotique entre gloire, désespoir et substances interdites qui a acéré son regard sur toutes choses. Nous étions dans une boîte de nuit parisienne à la mode. Sur une banquette, nous contemplions un acteur qui paradait entre quatre jeunes nymphes. Précision importante, l'acteur avait un certain âge et on ne pouvait pas dire que le charme physique était son atout majeur.

Les jeunes filles qui l'entouraient profitaient allègrement de sa carte de crédit. Il les inondait de champagne millésimé. Elles se pendaient à son cou en surjouant l'affection. Des rires, des cris. Les poulettes en ébullition simulaient la passion et le paon au milieu gloussait de joie. Encore une basse-cour. Pierre et moi observions de loin ce simulacre de débauche orientale. Le sultan et son harem. Et puis, Pierre a lancé la phrase. Tellement juste et tellement cruelle. Elle pourrait résumer toutes les frimes du monde. Superbe.

— *Tu vois, celui-là ! Il est malheureux et il ne le sait pas. Je vais aller le lui dire !*

TOUBIB OR NOT TOUBIB

(*To Be or Not to Be.*
Ernst Lubitsch. 1942.)

Chaque journée d'écriture de ce livre m'apporte au moins une phrase inoubliable. Soit qu'une réplique égarée me revienne soudain en mémoire, soit qu'un événement de mon quotidien m'en souffle une nouvelle. Ça a été le cas, il y a quelques heures, au cours d'un entretien avec mon médecin de campagne. Comme je lui parlais du sujet de mon occupation littéraire en cours, il m'a rapporté la phrase qu'il avait entendue la veille de la bouche d'un homme en fin de parcours. Quand il s'est présenté chez le malade agonisant, celui-ci était allongé, une bière à la main. Il en a bu une longue gorgée avant de lâcher :

— *C'est sûrement mon avant-dernière bière ! Mais, franchement, je préfère que celle-là soit dans moi plutôt que moi dans l'autre !*

Avec mon ami médecin, nous avons philosophé quelques instants sur la façon d'aborder les dernières heures de nos vies. Et il en est revenu au buveur de bière pour me dire, sans affliction particulière :

– *Ça a été prémonitoire, il est mort ce matin.*

J'ai toujours été fasciné par le détachement du corps médical face à la mort. Ce fatalisme sans émotion apparente. D'ailleurs, j'ai un autre ami médecin qui s'en inquiétait lui-même. Au point de me confier :

– *La routine m'a rendu insensible à la mort des autres. Une de mes hantises est de me dire que je pourrais être insensible de la même manière à la mort des miens.*

C'est à ce même docteur de campagne que je dois une autre phrase inoubliable. Drôle celle-là. Une réplique à la Lautner qui aurait facilement eu sa place à la table des *Tontons flingueurs*. Mon copain toubib avait été appelé au fin fond de la campagne limousine par la femme d'un paysan qu'il connaissait bien. Elle s'inquiétait des sueurs inhabituelles de son costaud de mari qui venait de faire un malaise. Effectivement, il était en hypertension et son visage était écarlate. Mais, au premier relent de son haleine, le docteur a compris que la cause du malaise était plus uvale que virale. Le nombre de bouteilles vides sur la table facilitait son diagnostic. Le paysan bredouilla quand même qu'il pensait connaître la véritable raison de la rougeur inhabituelle de son visage. Pour lui, un mauvais coup de soleil.

Le docteur a souri et a rectifié :

— *Vu la couleur, je crois plutôt que c'est un bon coup de vin rouge !*

La réplique a fusé. Logique.

— *C'est pas possible, je bois que du blanc !*

S'il est un métier où le mot « humain » prend tout son sens, c'est bien médecin de campagne. Celui que, dans la Corrèze reculée de mon enfance, une vieille paysanne appelait « le vétérinaire des gens ». Ces baroudeurs du quotidien mériteraient souvent des médailles. Sur le podium de l'anecdote de concours, il y en a un qui récolterait l'or à coup sûr. Hervé, un ami, docteur de Bourges, qui m'avait raconté une visite pour le moins originale. C'était dans les années quatre-vingt. De garde de nuit, il avait reçu l'appel d'un homme affolé. Sa sœur avait des palpitations très inquiétantes. La ferme d'où provenait l'appel était située à une vingtaine de kilomètres de Bourges.

Hervé fit au plus vite. Quand il arriva, la malade semblait aller beaucoup mieux. Il l'ausculta sans rien trouver de particulier. Rien de grave au niveau cardiaque. Si ce n'est une tension plutôt basse due à une fatigue accumulée. Une de ces fausses alertes auxquelles il était rompu. Ça faisait partie du métier, et finalement, mis à part le déplacement inutile, ce n'était pas le plus désagréable. Au contraire du garagiste qui se régale d'un dysfonctionnement mécanique, le médecin se satisfait toujours d'une machine en bon état de marche !

À la fin de la consultation, le frère se confondit en excuses pour avoir dérangé le médecin inutilement. Il lui proposa même un grand verre de marc qu'Hervé refusa. Il avait la route à faire dans l'autre sens. Le frère profita de l'occasion pour solliciter le médecin afin qu'il lui rende un service qui n'avait rien de médical :

— *J'ai un train à prendre. Ma sœur devait m'emmener. Comme vous rentrez sur Bourges, ça vous dérangerait de me prendre avec vous ?*

Mon ami accepta de rend re ce service. Ce n'est qu'en arrivant devant la gare que le frère de la malade avoua la véritable raison de la visite médicale nocturne. Elle fit entrer Hervé dans une rage folle qui le fit propulser son passager sur le trottoir en envoyant valser sa valise. Toutefois, une fois reparti, il ne put s'empêcher de sourire, admiratif quand même de la belle arnaque dont il venait d'être l'objet. L'homme lui avait dit :

— *Si j'avais appelé un taxi, ça m'aurait coûté beaucoup plus cher qu'une consultation. Et en plus, c'est remboursé par la Sécurité sociale !*

La dernière phrase inoubliable de ce minichapitre pseudo-médical est une petite merveille. Je la tiens d'une amie médecin assez jolie, Christine, qui exerce à Paris dans le huitième arrondissement. Depuis des mois, elle recevait régulièrement, sous des prétextes futiles, une personne qui n'avait jamais rien de grave. Si ce n'était une tendance certaine à l'exhibitionnisme. Ça arrive plus souvent qu'on ne le croit. Et aux dires de mes amis médecins, contrairement à ce qu'on pourrait penser (désolé encore, Marlène !), c'est surtout une déviance féminine.

Là, c'était un homme d'une soixantaine d'années, qui, au gré des consultations, se plaignait de douleurs, soit vers l'aine, soit dans les testicules. Bref, ma copine avait très vite saisi la manœuvre. Et elle s'en amusait. Le faux patient était aussi prévisible que pitoyable. Mais, dans sa journée de vrais drames parfois, c'était pour elle un petit intermède de détente.

Ce jour-là, l'homme avait, pour une fois, une vraie raison d'être venu la consulter. Une bonne vieille grippe. Cette fois, il n'en rajoutait pas. Il toussait grassement. Elle lui demanda de se dévêtir juste du haut pour examiner sa poitrine. Mais le malade, bien sûr, suggéra qu'il serait mieux qu'il enlève tout. En demandant à ma copine d'examiner au passage le bas de son ventre en argumentant :

— *J'ai des douleurs sourdes. À mon âge, on sait jamais. C'est peut-être le début d'un cancer du côlon.*

En souriant, Christine accepta sa requête. Elle tenait l'occasion de punir une bonne fois pour toutes le faux malade de son assiduité embarrassante. Après avoir ausculté sa poitrine, elle demanda à l'homme entièrement nu de se pencher en avant. À l'évocation de la posture à venir, elle décela dans son regard une infinie jouissance. Pensez donc ! L'exposition la plus provocante de ses parties intimes. Et une fois de plus, remboursée par la Sécurité sociale ! Le nirvana !... Jusqu'à ce qu'il pousse un petit cri de douleur.

— *Mais... qu'est-ce que vous faites, docteur ?*

La réponse, même triviale, peut être inscrite au palmarès des vengeances féministes :

— *Je vous ai enfoncé mon stylo dans les fesses, cher monsieur ! Vous le conserverez, et, avec, vous me copierez cent fois : « En aucun cas la grippe ne peut donner le cancer du côlon ! »*

Y A-T-IL UN FRANÇOIS DANS LA SALLE ?

(*Y a-t-il un Français dans la salle ?* Jean-Pierre Mocky. 1982)

Ou plutôt : Y a-t-il un Mitterrand dans la salle ? La question que l'on se pose en regardant les rangs clairsemés des socialistes à l'Assemblée nationale. Y a-t-il un héritier ? Ça sent la fin de race pour la lignée. Et surtout, c'est quoi un homme de gauche aujourd'hui ? Je te renvoie à la définition en confidence d'un copain sympathisant d'En marche :

– *Un mec de gauche, c'est un mec de droite qui n'a pas réussi ou qui a fait faillite !*

Un peu réducteur quand même. Il reste des idéalistes. C'est bien pour ça qu'ils ne sont pas élus. L'époque n'est plus au rêve. La réalité doit être pragmatique, productive et surtout médiatique. La forme a largement pris le pas sur le fond. On fabrique du député à la chaîne. Chaîne info, bien sûr. Du politique de plage, chemise ouverte, manches relevées et lunettes de soleil.

L'homme d'été a remplacé l'homme d'État. T'as le look, coco !

Franchement, je ne sais pas d'où ils nous les sortent, les nouveaux propres sur eux de La République en marche. Il doit y avoir quelque part une fabrique secrète. Ils me font penser aux petits-bourgeois de Mai 68. Ceux qui voulaient rester en cours quand on faisait des *sit-in* dans la cour. Ce que m'a exprimé récemment à sa façon un vieux combattant des barricades du boulevard Saint-Germain.

— *En marche, d'accord. Mais alors, en marche arrière !*

Tout ça pour en revenir au « Sphinx » Mitterrand. « Tonton » pour les intimes. Un des derniers véritables hommes d'État. Un seigneur. Cultivé. Présidentiel, vraiment. Impressionnant. J'avais eu la chance de le croiser plusieurs fois avant « la farce des travestis » que je vais évoquer maintenant. Tout a commencé un après-midi de 1994. Une saute d'humour. Avec Laurent Gerra qui débutait, on s'amusait dans mon bureau à imiter Michel Blanc et Depardieu dans *Tenue de soirée*. Et puis j'ai suggéré :

— *Et si on se déguisait en travelos pour aller à l'Élysée souhaiter les vœux à Tonton ?*

Un coup de culot. À l'improvisade. On y est allés. Refoulés bien entendu. On nous a gentiment signifié qu'il fallait prendre rendez-vous. Mais j'ai passé le film du périple à la télé. Et le lundi suivant, on recevait une invitation officielle pour aller interviewer le président. Mais sans déguisement, bien sûr. En costume. Question de respect républicain. N'empêche, imagine le cadeau ! On vient, on parle, on filme sans aucun contrôle sur les questions. Et on montre ça à la télé sans aucun contrôle non plus sur le contenu du montage. Inimaginable aujourd'hui.

En fait, au-delà de la mascarade et du coup d'éclat, je voulais surtout remercier « François Premier » pour la liberté d'expression qui était réelle à l'époque. Je me souviens d'une phrase essentielle au cours de notre entretien. Une phrase qui résonne d'autant plus aujourd'hui. À l'heure où le moindre dérapage politiquement incorrect fait sortir les ministres du bois, tous crocs dehors. Et la meute conspue et sanctionne au nom de cent lois de bienséance anti-ceci et anti-cela. Le vieux sage nous avait dit :

– *Une loi pour empêcher l'humour de s'exprimer, ce serait la pierre pour écraser la mouche !*

Le processus s'est inversé, hélas ! Les mouches ont changé d'âme. Les bonnes consciences tsé-tsé ont endormi les insolents. Anesthésie générale et interdiction de jeter des pavés dans la mare. C'est te dire si, même si je ne partageais pas tout à fait ses idées politiques, je regrette les tolérances de ce président-là. Aujourd'hui, la loi peut te tomber dessus à la moindre dérive verbale au hasard d'un sketch. Avec en étendard tous les « ismes » de rigueur. Racisme, sexisme, populisme, antiféminisme. Alors, on s'autocensure par précaution. Et c'est comme ça que la télé, que je connais si bien, est devenue un paradis immaculé. Un site protégé dans lequel mon audace travestie du jour de ma visite élyséenne de 1994 serait aujourd'hui un péché mortel. Une église interdite aux animateurs païens. Tiens, juste une diversion pour rire. La remarque récente d'un humoriste ami, plein de sel et de bon sens, sur les animateurs d'aujourd'hui. Tu sais, les nouveaux gentils de service.

— Le gendre idéal a trouvé ses maîtres. À côté de Cyril Féraud et Samuel Étienne, Drucker, c'est Che Guevara !

Allez, on revient au bon temps du presque tout permis. Et à ma farce « gay pride » pour un « tonton farceur ». À la fin de notre entretien surréaliste, le président Mitterrand m'a entraîné à l'écart. Et là, j'ai eu droit à du vrai inoubliable. D'abord, une tirade sur mon audace :

— Vous vous rendez compte de ce que vous avez fait ? Vous êtes venus à l'Élysée en travesti. Il n'y a pas une République au monde qui vous aurait reçu. Vous savez pourquoi je l'ai fait ? Parce que ça m'amuse. Et ça emmerde tellement les journalistes que j'accorde à un clown l'entretien en tête à tête que je leur refuse !

C'était après l'affaire Bérégovoy. Il gardait une rancune tenace contre ceux qu'il appelait « les chiens ». Ceux qui, pour lui, l'avaient sans vergogne poussé au suicide. Ce qui nous a entraînés, dans la suite de l'entretien privé hors caméras, à parler de la mort. De celle de ceux qu'on avait aimés, de la sienne. À mots feutrés. Sans évoquer franchement la maladie qui se lisait sur son visage. Mais elle était en filigrane derrière chaque mot. Il m'a parlé de la disparition de mon fils avec une pudeur touchante. J'ai osé lui demander :

— *Vous croyez qu'il y a une vie après la vie ?*

Il a souri. Est-ce le président ou l'homme qui m'a répondu ?

— *Après la vôtre, je ne sais pas. Après la mienne, j'en suis certain !*

Et puis, il m'a emmené dans les couloirs pour me faire une visite guidée des lieux. En me montrant d'abord un espace où Napoléon avait fait des adieux. Imagine ma réelle émotion. Je ne visitais pas un palais, je visitais l'histoire. C'est là que, malin en diable, il m'a glissé une petite pique au sujet de celui dont il savait pertinemment que j'étais l'ami et un soutien inconditionnel. Chirac, bien entendu. Nous passions devant un petit salon intime. Il m'a murmuré cette phrase, dont évidemment j'ai saisi tout de suite le sous-entendu impliquant le goût du maire de Paris de l'époque pour la bière Corona :

— *C'est ici que certains de mes prédécesseurs adoraient prendre le thé. Je ne veux pas présager de l'avenir, mais ce serait dommageable qu'un successeur ait le mauvais goût d'en faire une brasserie !*

Je n'ai pas relevé le gant et je l'ai remercié vivement une fois de plus d'avoir daigné me recevoir. À plus forte raison parce que, comme il le savait bien, je ne faisais pas partie de ses électeurs socialistes. Mais, en lui avouant toutefois que cet idéal de société était loin de m'être indifférent. Surtout pour l'enfant du peuple que j'étais. Mais bon, pour moi, l'égalité sociale était une utopie. Un beau rêve, mais irréalisable compte tenu des puissances économiques maîtresses de tout. Sans approuver ce que je disais, il n'était pas loin de partager une partie de mes observations. Il conclut l'entretien en me disant que même si parfois le discours politique était une illusion, il était essentiel de continuer à le tenir pour au moins entretenir l'espoir.

Son ultime phrase est digne du brillant écrivain qu'il était aussi :

— *La véritable misère, ce n'est pas forcément quand on a peu à manger, c'est surtout quand on n'a plus rien à rêver !*

LES OMBRES DU PRÉSIDENT

(*Les Hommes du président.*
Alan J. Pakula. 1976)

On va rester élyséens une dernière fois. Pour quelques reparties supplémentaires entendues 55, rue du Faubourg-Saint-Honoré. Après l'imposture travestie de 1994, j'ai eu l'occasion d'y retourner plusieurs fois. Pour des rencontres amicales avec ses différents occupants successifs. La première de mes visites à Chirac a eu lieu peu de temps après son investiture. Je savais qu'il préférait largement le décorum de la mairie de Paris à celui de l'Élysée. Un lieu de résidence bien plus spacieux et moderne. Ce qui lui avait donné l'occasion de plaisanter sur un éventuel changement d'arrondissement :

— *Passer du quatrième au huitième, ce serait mieux. Mais si on le traduit en classement, je recule quand même de quatre places !*

Quand il m'a accueilli au premier étage de l'Élysée, je n'ai pas pu m'empêcher de scruter la hauteur de plafond du regard, en disant, admiratif :

– *Bel appartement !*

Réplique immédiate :

– *Eh oui ! De particulier à particulier !*

S'en sont suivis, dans le palais présidentiel, quelques repas amicaux d'anniversaire où je lui ai offert des numéros visuels du *Plus Grand Cabaret du monde* en live. Et gravé à jamais dans ma mémoire, son regard d'enfant fasciné par les performances des artistes. Et plus inoubliable encore, pour les techniciens qui mettaient en place le spectacle, l'invitation à venir partager le dessert à sa table. Ils n'en revenaient pas. Du Chirac pur jus dans la convivialité. Et en Corrézien dans le texte.

– *Allez ! Venez vous taper la fin du graillou avec nous !*

Et puis, pour en finir avec les agapes élyséennes partagées avec Chirac, je suis obligé de te raconter un moment rare. Une performance. Digne par extrapolation du *Plus Grand Cabaret du monde*. Un numéro d'équilibrisme époustouflant. Équilibrisme des mots, s'entend. Du funambulisme de haute qualité. Et comme depuis le début de ce livre je t'abreuve de références cinématographiques, que de regrets de n'avoir eu une caméra pour immortaliser l'instant ! Avec cette fois un titre de film original. Un Bébel des plus grandes heures. Souriant, menteur et irrésistible :

Le Magnifique !

C'était encore à l'occasion d'un repas d'anniversaire. Jacques était particulièrement en forme. Il faut dire que les blagues inconvenantes que je lui avais offertes en apéritif étaient d'un grand cru. J'avais, en plus, reçu dans cet exercice périlleux l'aide de Muriel Robin et de Christophe Lambert qui en avaient balancé quelques-unes encore pires que les miennes. Et il y eut la cerise sur le gâteau d'anniversaire. Au milieu du repas, Line Renaud, sa voisine de table, a indiqué à Jacques qu'elle avait réservé pour son prochain voyage à Las Vegas une suite superbe dans un hôtel prestigieux pour Bernadette et lui. Réserve immédiate :

— *Je ne vais quand même pas emmener mon nougat à Montélimar !*

Le problème, c'est que Bernadette, à l'autre bout de la table, a sursauté, l'œil noir :

— *Vous avez dit quoi, Jacques ?*

Et là, grand numéro de cascadeur. Sans doublure, comme Bébel. Une merveille de saut périlleux avec rétablissement. Il a argumenté tout sourire avec le ton d'un guide touristique :

— *Je disais à Line que Montélimar est une ville splendide. Avec ses fontaines, ses places, son château du douzième et bien sûr, son musée européen de l'aviation qui a ouvert en 1985, je crois… n'est-ce pas, Line ?*

Un bijou. Avec le souci du détail. Une technique imparable qui justifiait bien le surnom de « Super menteur » que lui avaient donné les Guignols. Mais bon ! Dans ce métier de la politique, qui ne l'est pas ? Et d'ailleurs, quoi de plus logique que ce soit le plus doué dans ce domaine qui accède à la fonction suprême. Non ?

Un autre « Corrézien » à l'Élysée, François Hollande. Là, dans le prolongement logique de la piscine en plastique de Brégançon, c'est moi qui ai donné dans l'humour obligatoire. C'était juste après l'affaire du scooter. Il faut dire qu'on était déjà dans le vaudeville. Alors, autant enfoncer le clou. Pour ceux qui auraient raté l'épisode, je rappelle que notre bon François s'était fait flasher, casqué, chevauchant un scooter improbable, en flagrant délit de rendez-vous adultérin. De plus, à destination de la rue du Cirque. Comme numéro de clown, on ne pouvait pas faire mieux. Et ce n'était même pas pour faire un cadeau d'anniversaire à Chirac !

C'est peut-être inconsciemment cette association d'idées qui m'a amené à avoir celle d'offrir un cadeau farfelu à François lors de ma visite post-scooter. Je suis arrivé avec un paquet à la main et je lui ai lancé, jovial :

— *Je t'ai amené quelque chose pour que tu ne te fasses pas gauler la prochaine fois !*

Et je lui ai offert… un masque de Sarkozy. Il a éclaté de rire et a saisi l'objet. J'aurais adoré qu'il le passe, mais bon ! Faut pas exagérer non plus. Il s'est contenté de l'examiner sous toutes les coutures. Et, bien entendu, il fallait que le commentaire soit à la hauteur de la farce. Il s'est d'abord extasié sur la qualité de la ressemblance.

— *C'est impressionnant ! Tout y est ! Je suis sûr que si je le mettais, on pourrait croire qu'il est toujours dans ces murs. Et franchement, je n'y tiens pas. Mais je te promets que j'y penserai si je dois dîner au Fouquet's.*

Et puis, il a retourné l'objet :

— *C'est vraiment incroyable de ressemblance. D'un côté le sourire, le charisme trait pour trait, et de l'autre rien. C'est tout creux et c'est tout vide. C'est tout à fait lui !*

Allez, une petite dernière pour la route. Moins drôle. D'un cynisme inquiétant. Et tellement significative de la complexité de la fonction présidentielle. De sa perversion surtout. Je ne te citerai pas l'auteur de cette dernière phrase. Je te laisse le choix entre les quatre derniers présidents. Chirac, Sarkozy, Hollande et Macron. C'était à l'occasion d'une visite élyséenne amicale à un moment où le pays était en ébullition. Ce n'est même pas un indice, puisque chacun des quatre précités a eu droit à des soubresauts de cette nature. Là, c'était vraiment bouillant. Manifestations, bagarres, et de nombreux blessés, dont certains graves. Pour les observateurs les plus pessimistes, on n'était pas loin d'une véritable insurrection. Je suis entré dans le bureau présidentiel et j'ai dit :

— *C'est très chaud dehors !*

Je m'attendais à un acquiescement, voire une inquiétude qui aurait été légitime. La phrase m'a laissé sans voix. Le président a souri et s'est frotté les mains en me lançant :

— *J'adore ça !*

LE CRÉPUSCULE DES VIEUX

(*Le Crépuscule des dieux.*
Luchino Visconti. 1973)

L'antépénultième chapitre. Logique pour évoquer les avant-avant-dernières heures de nos vies. Dans mon album récent de chansons intimes, il y en a une qui s'appelle « Marisa ». Elle raconte l'histoire d'une vieille dame abandonnée par ses enfants dans une EHPAV... pardon, un EHPAD. Celle qui me l'a inspirée ne s'appelait pas « Marisa », mais Marie-Hélène. Accompagné du maire d'une ville qui m'est chère, j'étais allé rendre visite aux pensionnaires d'une maison d'accueil pour personnes âgées. Un moment de joie et de partage. Des embrassades, des réconforts. Un gâteau en mon honneur.

J'avais remarqué à l'écart une vieille dame effacée. Tassée, silencieuse, mais avec un regard bien plus jeune qu'elle. Vif, profond. Elle ne me quittait pas des yeux. Je suis allé vers elle et nous avons commencé à parler comme si nous nous connaissions depuis toujours. Elle a pris ma main et pendant l'entretien ne l'a jamais lâchée.

Ce n'est qu'au bout d'un quart d'heure qu'elle m'avoua que j'étais le portrait craché de son fils. Celui qui l'avait mise là, et qui, depuis, n'était jamais venu la voir.

C'est ce que je raconte dans ma chanson « Marisa » sur les accords d'une valse de Vienne. Une musique sur laquelle la vieille dame m'avoua avoir rencontré un soir un homme dont elle était tombée follement amoureuse. Il lui avait proposé de tout lâcher pour partir avec lui. Mais elle était mariée et ne voulait pas abandonner son fils en bas âge. Le sacrifice de sa vie payé en retour de la plus cruelle des ingratitudes. Dans ma chanson, les mots sont choisis, poétiques. Les siens étaient bien plus crus. La réplique n'aurait pas eu sa place dans ma chanson, mais ici, oui. Elle est cynique, terrible, et tellement lucide :

— Les enfants, ce sont ces « choses » qui t'appellent quand ils pissent dans leurs couches, mais qui ne viennent pas te voir quand tu pisses dans les tiennes !

« La vieillesse est un naufrage », disait de Gaulle. La phrase n'était pas de lui. Il l'avait volée à Chateaubriand pour l'adapter à son aversion pour Pétain. Quoi qu'il en soit, il avait raison. *Titanic*, pagode, ou youyou, avec les années qui passent, le bateau prend l'eau et commence à s'enfoncer. On se met à tanguer un peu. Et puis un peu plus, de faiblesses en handicaps. Et on sombre. Je la sens bien, à soixante-six ans, cette dégénérescence inéluctable. Ces brèches multiples que les bons amis colmatent de leur mieux en disant :

— *La vieillesse, c'est dans la tête !*

Mais non, c'est pas dans la tête. C'est d'abord dans le corps. Si on a un peu d'humour, on cautérise ces plaies-là en parodiant Bécaud : « L'important, c'est l'arthrose ! » Ou on raille sportivement la célèbre fracture du col du fémur en s'étonnant qu'il ne soit pas inscrit sur le parcours du Tour de France. On fait avec, mais on sait bien qu'il va falloir faire sans. Sans la vitalité, l'énergie, la fraîcheur. Et avec les rides. Les cheveux et la peau qui tombent. Et le spectacle décourageant de nos multiples décrépitudes dans la glace du matin de la salle de bains. Ce qui me faisait demander récemment à une amie :

— *Ils font pas des miroirs chez Photoshop ?*

Dans ce naufrage-là, certains dépensent beaucoup d'argent pour essayer de réparer les dégâts. Pour tenter de rester à la surface. Des milliers d'euros pour surnager. C'est sans doute ce qu'on appelle les « radeaux de fortune ». Implants, lifting, greffe. Tout ce qui fait la richesse des chirurgiens esthétiques. C'est à un de ceux-là, d'ailleurs, que je dois ce bel aphorisme :

— *Dieu a créé les seins pour nourrir les enfants et on y met des prothèses pour nourrir des docteurs !*

Putain de temps qui passe ! Je t'avoue sans aucune honte que c'est une de mes obsessions quotidiennes. À tous ceux autour de moi qui tentent de relativiser, j'assène que je ne vois que très peu d'avantages à cette « vieillesse ennemie » déclamée par Don Diègue. Si ce n'est peut-être ce brin de sagesse qu'apporte l'expérience. D'ailleurs (c'est une de mes seules consolations), en bon patriarche, je ne me gêne pas pour distribuer aux minots qui m'entourent sentence sur sentence. À l'image de toutes celles que j'ai reçues de mes aînés.

Avant d'être vieux moi-même, j'ai toujours accordé beaucoup d'attention aux conseils des anciens. Les papys de mon village d'abord. Assis sur un banc, appuyés sur leurs cannes, et la casquette vissée sur les rides du front, ils apostrophaient nos jeunesses trop fougueuses avec des conseils de précaution. Quand, au bout d'une course imbécile à vélo, on s'affalait dans les gravillons, et qu'on se redressait au plus vite pour sauver la face, ils nous lançaient :

– *Avant d'apprendre à se relever, il faut d'abord apprendre à tomber !*

Ça m'a beaucoup servi dans ma vie d'après. Comme récemment avec mes contrariétés télévisuelles. J'avais anticipé la chute. J'avais préparé la glissade, ce qui a rendu la cabriole bien moins douloureuse qu'elle aurait dû être. Un accident de ville atténué par une sagesse provinciale. Merci mes vieux villageois !

Il y a un autre « vieux » dont le conseil de sagesse m'a été très utile. Quand je dis « vieux », c'est relatif. Il n'avait qu'une cinquantaine d'années, mais j'en avais vingt. Une fois n'est pas coutume, la phrase est de moi :

– *La vieillesse des autres, ce n'est pas l'âge qu'ils ont, c'est celui qu'on n'a pas encore !*

Ce « vieux »-là était un Portugais avec lequel je travaillais quand j'étais peintre en bâtiment. Quelques mois de ma jeune vie entre les cours à la fac pour gratter, pendant les vacances, de quoi me payer l'essentiel. Je bossais huit heures par jour en intermittent avec de braves gars qui charriaient aimablement mon côté intello. Chacun son instruction. Moi c'était la tête, eux c'étaient les mains. Profs de travaux manuels, ils m'enseignaient le plâtre et l'enduit. Je n'aurais jamais imaginé qu'un jour je tiendrais de l'un d'entre eux un enseignement bien moins matériel. Une leçon philosophique essentielle à ma vie d'après.

C'était un jour où on m'avait confié la peinture d'un radiateur. Je m'étais appliqué au mieux. Le « vieux » était venu vérifier que j'avais bien fini mon travail. Je pensais n'avoir négligé aucun des moindres recoins. Il s'est couché au sol, et, après avoir bien observé, il m'a fait remarquer qu'un tout petit bout du coude du radiateur n'était pas peint. Je lui ai opposé que ce n'était pas bien grave. À moins de se contorsionner comme lui, le patron du chantier ne s'en apercevrait pas. C'est là qu'il m'a lancé cette phrase sur laquelle je m'appuierai cent fois par la suite dans mon travail d'artiste. Chaque fois que, par bonheur, je mettrais un point d'honneur à être le plus méticuleux possible.

— Tu ne fais pas ça pour ton patron, tu le fais pour toi. N'oublie jamais ce coude de radiateur. Si tu ne finis pas ton travail, tu ne finis pas ta vie !

On va terminer avec une ultime repartie. Un clap de fin. Une dernière métaphore totalement raccord avec les références cinématographiques qui ont agrémenté les titres de chacun des minichapitres. C'est justement une phrase de cinéaste. Et pas n'importe lequel. Mon ami Georges Lautner. Il me l'a dite après le tournage d'une séquence de *De l'autre côté du miroir*. J'avais été face à lui Lino Ventura, dans la cuisine reconstituée des *Tontons flingueurs*. Il en avait pleuré de nostalgie. Après, dans ma loge, on avait longuement disserté sur cette vieillesse inéluctable. Ce naufrage dont il était conscient qu'il n'était pas loin de l'engloutir totalement. Dans les profondeurs. Le noir. Cette phrase, là aussi, aurait pu être une de ses répliques de référence :

— *La vie, c'est la seule salle de cinéma où, à la fin du film, la lumière ne se rallume pas !*

LES DERNIÈRES POUR LA ROUTE

(*Le Dernier pour la route.*
Philippe Godeau. 2009)

Une guirlande de phrases flash à une encablure de la fin du voyage. Des répliques que j'avais prévu de t'offrir mais que je n'ai pas eu l'opportunité de caser avant. Un bêtisier, en quelque sorte. Les toutes dernières reparties du tac au tac. En rafale. Pour le plaisir. Avec, en tête de citation, leur auteur.

Lagaf. À qui on avait posé la question traditionnelle : « Qu'emporteriez-vous sur une île déserte ? » Sa réponse :

– *Un bateau avec le plein !*

Philou. Un restaurateur marseillais auquel je demandais ce qu'il pensait de Bernard Tapie :

– *Tapie, c'est un magicien. Il t'emmène au bord de la mer, il te fait croire qu'y a pas d'eau !*

Agathe. Une aristocrate excentrique, voisine de table, au bal de la Rose à Monaco. Alors qu'elle était bien éméchée, je lui ai fait remarquer en termes choisis qu'elle était un peu ivre :

— *Un peu ivre ? Ah non ! Je suis complètement bourrée, c'est bien plus rigolo !*

Marc Jolivet. Et l'analyse la plus lucide qu'il m'ait confiée pour synthétiser avec humour nos accointances dans le milieu du show-biz.

— *J'aimais pas trop Dechavanne. Et puis, je lui ai entendu dire du bien de moi. Finalement, il est très bien ce gars-là !*

Éric. Un cavaleur quarantenaire, très attiré par les très jeunes filles. Je lui ai demandé où il situait le curseur pour une femme qu'il considérait comme adulte :

— *Quinze ans… avec un bon avocat !*

Fredo. Un autre copain près de ses sous. Mais avec une philosophie de l'argent et de l'amitié réunis assez lucide :

— *Prêter de l'argent à un ami, c'est souvent le meilleur moyen de perdre les deux !*

Une ancienne gloire cathodique déchue. Éreintée par les moqueries et la cruauté des réseaux sociaux :

— *Le revers ne vaut pas la médaille !*

« X ». Un anonyme SDF croisé dans la rue. Et sa belle réponse quand je lui ai demandé, selon la formule consacrée, s'il n'avait besoin de rien :

– Rien, je l'ai déjà ! Je préférerais que tu me donnes quelque chose !

Jean Yanne. À la fin d'une discussion au sujet de ceux qui rayent les voitures des riches. Un défoulement stupide pour lui, qui ne changeait rien à la basse condition de ceux qui s'y adonnaient :

– C'est pas en démontant la tour Eiffel qu'il y aura plus de monde à la Foire du Trône !

Édith. Une amie proche à qui je venais de confier un secret en la priant de ne pas l'ébruiter. Ce qu'elle m'a promis. Quand je lui ai demandé si j'avais sa parole, elle a répondu :

– Non, justement, tu n'as pas ma parole. Tu as mon silence !

Patrick Partouche. Le patron des maisons de jeux qui portent son nom. Un soir de perte, il m'a donné un truc infaillible. La martingale absolue :

– Si tu veux gagner de l'argent au casino, il faut en acheter un !

Pierrot. Mon ami, ancien croupier. Histoire d'apporter un complément de précaution à la phrase précédente.

— *Au casino, il faut savoir s'arrêter... À un kilomètre de l'entrée !*

Sabine. Une très belle femme opportuniste et sans états d'âme, dont je doutais qu'elle puisse partager la vie d'hommes dont le compte en banque ne serait pas suffisamment alimenté :

— *Détrompe-toi. J'ai été mariée avec un pauvre. Et il l'a été grâce à moi. Parce que, avant que je divorce de lui, il était très riche !*

Tonton David. Chanteur nonchalant et imbibé. Prétendument repenti :

— *Depuis que je ne bois plus du tout, je bois beaucoup moins !*

Quentin. Un hétérosexuel devenu gay, dont, avec erreur, j'attribuais la reconversion à un dégoût des femmes :

— *Absolument pas. On n'aime pas les hommes parce qu'on n'aime plus les femmes. On aime les hommes parce qu'on aime les hommes !*

Un flic anonyme. À propos de la présence de treize mille policiers à l'occasion du sommet du G7 à Biarritz :

— *Treize mille policiers ? Je savais qu'ils étaient dangereux, ces sept-là, mais alors, à ce point !*

Marylin, une lectrice. Après avoir lu *Tu m'appelles en arrivant*, mon livre qui se termine par la mort de Maman :

– *J'ai arrêté de lire avant la fin… pour te laisser ta maman plus longtemps.*

Jacques Villeret. Très grand consommateur d'alcool fort. Et, au bout d'une longue nuit d'ivresse, sa sollicitation bredouillée à un barman qui ne voulait plus le servir :

– *Allez, juste un ! Un seul… l'avant-dernier !*

Angun. La belle Angun, à qui je disais toute mon admiration. Je flattais sa beauté, sa gentillesse, son talent, sa sensualité. En fait, je lui avouais quelle était pour moi la femme idéale qui possédait toutes les qualités :

– *Toutes les qualités sauf une, mon cher Patrick… je suis mariée !*

Jacquot. Un vieux de chez moi. Dépité que parmi les quelque cinquante femmes de son petit village, aucune n'ait vraiment de quoi allumer ses sens :

– *Ici, pour voir une belle fille, il faut allumer la télé !*

Maria. Une femme de ménage vengeresse dans une maison bourgeoise. Renvoyée injustement par sa patronne méprisante. Et la réplique de choc au moment où celle-ci lui a signifié de prendre la porte :

— *Quelle porte ? Celle de devant ou celle de derrière par laquelle entre la maîtresse de Monsieur quand Madame n'est pas là ?*

Le fils d'une amie. Après avoir demandé un autographe à Sébastien Chabal dans un cocktail :

— *Maman, Chabal va mourir empoisonné ! Il boit une bière périmée. Elle est de 1664 !*

Lily, ma fille. Je parlais de son avenir sentimental en présageant qu'un jour elle se mettrait avec un garçon… ou une fille. Réponse faussement outrée :

— *Tu m'as traitée de pédé ?*

Bernard, un ami proche. Et la façon inoubliable de quitter définitivement son épouse acariâtre. Il est debout dans l'entrée à cinq heures du matin.

— *C'est à cette heure-ci que tu rentres ?*

— *Non. C'est à cette heure-ci que je pars !*

Tonton, le prof de philo. Tu sais, celui du bistrot et du poker. Avec la phrase qui m'a conditionné à préférer l'agréable à l'utile.

— *Il ne faut pas vivre pour penser. Il faut penser à vivre !*

Dard. Évidemment. Comme pour me rappeler que tout ce que je viens d'écrire n'était peut-être pas nécessaire :

— *Parler est le plus moche moyen de communication. L'homme ne s'exprime pleinement que par ses silences.*

Et pour finir, moi. Une réplique de dépit à mon bon Olivier. En voiture ensemble dans le seizième arrondissement, on venait de se faire copieusement insulter par un crétin en Bentley :

— *C'est peut-être avenue Victor-Hugo qu'il y a le moins de misérables !*

Et pour terminer, celle de la maman d'une amie meurtrie. Une jeune fille de quinze ans, blessée, salie à jamais par les violences d'un pervers. En ces temps de libération de la parole des femmes, une question mystique certes, mais tellement réaliste :

— *Dieu existe-t-elle ?*

LE DÎNER DE CONFINÉS

(*Le Dîner de cons.* Francis Veber. 1998)

Covid-19. On dirait le nom d'une entreprise corrézienne ! Il faut bien sourire. Pour déplacer l'éléphant. Le gris anxiogène des infos en boucle. Les palabres orgueilleuses des spécialistes en tout. Les *fake news*. Les complotistes. Les politiques incohérents, mais appliqués. Maîtres étalons de la récupération pour expliquer qu'on en fait trop, pas assez, ou qu'on aurait dû y penser avant. Pour ne pas perdre de vue les élections à venir. Liberté, égalité, utilité !

Au moment d'achever ce livre, me voilà reclus moi aussi. En famille. Et je déplace… Je déplace. Je minimise. Je rassure. On a éteint la télé pour allumer nos yeux et nos mots. Pour s'aimer sans décodeur. Plus les sièges se sont écartés autour de la table par précaution, plus nos âmes se sont rapprochées. Le syndrome de la rose : « Qu'importent les épines, la fleur est si jolie ! » Ça, c'est pour le tout près, l'intime. Pour ceux qui sont loin, sur ma chaîne Youtube, je balance un sketch par jour. Pour apaiser, distraire. Solidarité de clown. C'est le moindre de mon devoir de saltimbanque.

Tiens, ça y est ! Ils ont compris. Ils se sont sagement confinés pour se protéger et ne pas propager. Apeurés mais obéissants, ils ont pris conscience que le peuple a une arme universelle. Celle que chacun détient sans permis : la bienveillance de groupe. Enfin ! Il était temps. Et mon utopie chronique me souffle : « Et après, pourquoi pas ? » Et si cette pandémie était un avertissement bien au-delà d'un mini-génocide viral ? Et s'il fallait tout reconsidérer ? Et si c'était le signal pour notre survie ? Et si, au lieu de continuer à s'enfoncer dans le noir, il était urgent de revenir à l'essentiel ? À la lumière. À l'humain. Aux valeurs de base que le progrès à tout prix, l'intérêt et l'égoïsme piétinent un peu plus chaque jour. Pas la peine de s'étendre. Tu le sais bien, toi mon fidèle, que cette prise de conscience-là est le seul remède pour apprécier *ad vitam aeternam* la vraie saveur de nos existences.

Alors une dernière phrase.

Elle est de moi.

Elle est pour toi.

Elle est pour nous tous.

— *Le bout du tunnel n'est pas loin. Pour le voir, il suffit de se retourner !*

FIN

TABLE DES MATIÈRES